Heinz Jürgen Sauermost

DIE ASAMS als Architekten

Dieser Band erscheint in der Reihe
»Schnell & Steiner Künstlerbibliothek«

Herausgegeben von
Prof. Dr. Bruno Bushart · *Malerei*
Dr. Gabriele Dischinger · *Architektur*
Dr. Peter Volk · *Plastik*

Bisher sind erschienen

Henrico Zuccalli
Der kurbayerische Hofbaumeister

Johann Ev. Holzer
Ein frühvollendetes Malergenie des 18. Jhs.

Georg Petel
Barockbildhauer zu Augsburg

Roman Anton Boos
Bildhauer zwischen Rokoko und Klassizismus

Dientzenhofer und „Hausstätter"
Kirchenbaumeister in Bayern und Böhmen

Maximilian von Welsch
Architekt der Schönbornbischöfe

Antonio Petrini
Ein Barockarchitekt in Franken

Georg Asam
Ölmaler und Freskant im barocken Altbayern

Heinz Jürgen Sauermost

Die Asams
als Architekten

Verlag Schnell & Steiner München · Zürich

Inhalt

Vorwort 7

Die Entscheidung im Jahre 1711 9

Die Werke 15
Kirche und Kloster der Benediktinerabtei Weltenburg 15
Die Stiftskirche der Augustinerchorherren in Rohr 41
Das Projekt der Hl.-Geist-Kapelle in Thalkirchen 54
St. Johann Nepomuk in München – die Asamkirche 64
Die Ursulinenkirche in Straubing 77
Die Kirche der Benediktinerabtei Frauenzell 91

Die Asams als Architekten und ihr Umfeld 101

Anmerkungen 118

Planungen und Bauten 120

Ausgewählte Literatur 121

Abbildungsnachweis 125

Orts- und Künstlerregister 126

Die Künstler Cosmas Damian und Egid Quirin Asam mit Abt Maurus Bächel, dem Bauherrn der Weltenburger Klosterkirche

Titelbild: München, Asamkirche St. Johann Nepomuk, Empore im Altarbereich
Vor- und Nachsatz: Schaubild der Hl.-Geist-Kapelle für Thalkirchen, um 1725, Ausschnitt der Zeichnung Egid Quirin Asams

© 1986 Verlag Schnell & Steiner München · Zürich
Alle Rechte vorbehalten
Umschlag und Layout: Alfred Lahner, München
Druck: Erhardi Druck, Regensburg
Printed in Germany
ISBN 3-7954-0375-8

Vorwort

Ein Vorwort schreibt man zum Schluß, im Hochgefühl, etwas geleistet zu haben. Selten gibt man zu, sich nasse Füße geholt zu haben. Genau dieses Gefühl habe ich aber – und so klingt auch der Titel: ,,Die Asams als Architekten". Auf einer Hallig könnte man sich in der schlechten Jahreszeit nicht unbehaglicher fühlen. Über dem Watt steigen die Fluten und von der See peitschen die Wogen heran, bis schließlich das Land unter Wasser steht. Der Vergleich eines Kunstphänomens im Süden mit einem Naturphänomen im Norden ist bezeichnend für die Verlegenheit. Wer verlegen ist, schätzt es, bildlich sprechen zu können. Die Sommerinsel der asamschen Architektur ist geboren und bedroht durch die Fluten der Altarbaukunst und der Freskomalerei. Die beiden wichtigsten Vorarbeiten lassen im Titel eine Wendung in dieser Richtung erkennen, wenn auch die Autoren nichts mit der Waterkant im Sinn hatten. Nannte Ottmar Endres 1934 seine Schrift noch schlicht ,,Untersuchungen zur Baukunst der Brüder Asam", so Herbert Brunner 1951 die seine ,,Altar- und Raumkunst bei Egid Quirin Asam". Die Wasser steigen. Ganzjährig eindeichen können wir nichts, aber Beobachtungen während der Sommermonate sind möglich, auch solche von Sommer zu Sommer.

Mein Dank gilt Bibliotheken und Archiven, wenngleich ich letztere nur spärlich benutzt habe. Neues ergibt sich nicht aus der Erhebung bisher unbekannten Materials, sondern aus der Verarbeitung bereits publizierter Daten. Herr Dr. Gabriel Hefele stellte mir seine Dissertation über Osterhofen zur Verfügung, Frau Dr. Susanne Dinkelacker ihre Magisterarbeit über Frauenzell. Mit dieser habe ich mich eingehender auseinandergesetzt. Ständige Gespräche mit meinen Freunden Gabriele Dischinger und Ernst Götz gaben mir auf ungesichertem Gelände Halt; Hans Lehmbruch stachelte mich zu einer intensiven Analyse der Stiftskirche Rohr an.

Gegen Ende der Manuskripterstellung hatte ich auf einem Künstlerfest ein Gespräch über asamsche Architekturkonzeption. Es ging nicht um Barock, Cosmas Damian stand als Ahn nur im Hintergrund: Mein Gesprächspartner war der Münchner Architekt Peter Asam.

Heinz Jürgen Sauermost

Die Entscheidung im Jahre 1711

Das relativ reiche Material zum Leben des Bruderpaares auszubreiten, erübrigt sich, da wir uns hier nur mit einem Teilbereich ihres Schaffens befassen.[1]
Cosmas Damian Asam wurde am 28. September 1686 in Benediktbeuern, Egid Quirin am 1. September 1692 in Tegernsee getauft. Der Tod des älteren Bruders am 10. Mai 1739 in München traf den jüngeren offenkundig schwer. Der Schwung der „Firma Asam" war dahin, wenn Egid sich auch bemühte, das Erbe weiterzuführen. Er starb am 29. April 1750 in Mannheim, wo er mit Stuckierung und Ausmalung der Jesuitenkirche beschäftigt war.

Die Gründung der „Firma Asam", die in der Lage war, nicht nur komplette Kirchenausstattungen, sondern auch den Entwurf von Kirchenbauten zu besorgen, entsprang offenbar einer planvollen Entscheidung und erfolgte im Jahre 1711 nach dem Tod des Vaters Georg Asam. Mit „Gründung" ist noch nicht die faktische Etablierung des in zwei Werkstattbetrieben arbeitenden und gesonderte Rechnungen stellenden Unternehmens gemeint; „Gründung" ist angemessen für die vorausgehende Konzeption, die Absteckung des Rahmens, die Verteilung der Rollen und den Beginn der intensiven Vorbereitung auf die angestrebte Tätigkeit.

Georg Asam starb 61jährig im oberpfälzischen Sulzbach; am 7. März 1711 wurde er dort bestattet.[2] Der Freskant, Öl- und Faßmaler hatte zwar 1694 aus dem Erbe seines einstigen Lehrmeisters und Schwiegervaters Niklas Prucker in München dessen Wohnhaus in der Schwabinger (Theatiner) Gasse erworben, doch ähnelte sein Lebensweg dem eines Wanderkünstlers, der den Aufträgen folgte.

Seine später so berühmten Künstlersöhne sind an den Orten seiner Hauptwerke, Benediktbeuern und Tegernsee, geboren. Beide erhielten in der väterlichen Werkstatt eine Malerausbildung und wurden zur Mitarbeit herangezogen. Für Egid Quirin kann eine solche Grundausbildung zwar nur erschlossen werden, doch wird der Schluß durch die Fakten abgesichert, daß er später fähig war, Freskenaufträge zu übernehmen, und 1711 – nochmals von vorne anfangend – die Bildhauerlehre für volle sechs Jahre aufnahm. In seinem 1745 aufgesetzten Testament führt er die Berufsbezeichnungen Bildhauer und Maler.

Gewiß hätte der 24jährige Cosmas – nach Klärung einiger arbeitsrechtlicher Formalitäten – die Möglichkeit gehabt, zusammen mit seinem 18jährigen Bruder, unterstützt durch Mutter und Schwester, die väterliche Malerwerkstatt trotz der kriegsbedingten Reduzierung der Aufträge in der eingespielten Weise weiterzuführen. Er tat dies nicht. Das Bruderpaar nutzte die durch den Tod des Vaters gegebene Zäsur zu einer Neuorientierung. Die Situation war für eine Umstellung des Familienbetriebs insofern günstig, als einerseits der bereits zehn Jahre dauernde Spanische Erbfolgekrieg mit der Besetzung Bayerns durch die Österreicher die Kunsttätigkeit behinderte, andererseits nach seinem Ende eine umso stärkere Aktivität zu erwarten war. Dann sollte es eine „Firma Asam" geben, die jeder

Andrea Pozzo, Entwurf eines Hochaltars für die römische Jesuitenkirche Il Gesù: Der Mahler und Baumeister Perspectiv/Zweyter Theil, Fig. 73

Anforderung gewachsen war, die mit ihren Vorschlägen die Vorstellungen der Bauherren weit übertraf. Dann sollte es vorbei sein mit Fresken in winzigen, vorgegebenen Malfeldern, die aussahen wie kolorierte Kupferstiche. Dann sollte ein einheitlicher Schwung das gesamte Werk ergreifen.

Man orientierte sich auf die Hauptstädte, die Hauptstadt des Kurfürstentums und die Hauptstadt des Katholizismus wie der kirchlichen Kunst. Die Bindung an München wurde intensiviert. Der unmittelbare Anschluß an die römische Kunst mußte gefunden werden. Eine Ausweitung und Aufspaltung der Arbeitsbereiche war erforderlich. Ob Egid Quirin eine stärkere Neigung zur Plastik als zur Malerei verspürte, oder ob die beiden Jünglinge sich alles zutrauten und es nur die praktischere Lösung war, daß der Jüngere und weniger Fortgeschrittene das Fach wechselte, ist kaum zu entscheiden. Jedenfalls verdingte sich Egid am 25. Juli 1711 als Lehrjunge bei dem Münchener Hofbildhauer Andreas Faistenberger für sechs Jahre, wie es Brauch war.[3] Cosmas wurde der Überlieferung nach vom Tegernseer Abt Quirin Millon nach Rom geschickt. Dies kann aber nur bedeuten, daß es ihm gelang, den durch die Tätigkeit des Vaters der Familie verbundenen Prälaten zur Gewährung eines Stipendiums zu gewinnen, falls diese Tradition, die in den Schriftquellen nicht belegbar ist[3a], überhaupt stimmt. Die Initiative ging jedenfalls von den Asams selbst aus. Sie nahmen Trennung und erneute Lehrzeit auf sich im Hinblick auf zukünftige gleichberechtigte Zusammenarbeit. Sie handelten geblendet durch eine Vision.

Zur Entstehung einer solchen Vision bedarf es eines negativen und eines positiven Auslösers. Beides läßt sich benennen. Als negativer Auslöser müssen die Bedingungen, unter denen der Vater gearbeitet hatte, wie auch seine – bei allem Respekt – ängstlich vorlagenfixierte Arbeitsweise aufgefaßt werden. Die Vision einer neuen Kunst in ihrer ganzen Fülle verdankten die Brüder Asam dem Kunstlehrbuch des Andrea Pozzo. Der 1642 in Trient geborene Jesuitenbruder hatte in der Papststadt Rom mit der Ausmalung der dortigen zweiten Ordenskirche San Ignazio die Quadraturmalerei, die illusionistische perspektivische Architekturmalerei, zu ihrer Vollendung geführt. Der Kaiserstadt Wien hatte er mit der Umgestaltung und Ausmalung der Kirche der Jesuitenuniversität seine Kunst vor Augen geführt. Hier war er 1709 gestorben.

Pozzos zweibändiges Traktat – das erfolgreichste Lehrbuch der Barockzeit – war 1693 und 1700 erstmals in Rom in lateinisch-italienischer Fassung erschienen.[4] 1706 und 1709 brachte der Augsburger Kunsthändler Jeremias Wolff beide Teile in handlicherem Format mit lateinisch-deutschem Text heraus. Die verkleinerten Nachstiche der Tafeln besorgten Johann Boxbarth und Georg Conrad Bodeneer, den Druck Peter Detleffsen. „Der Mahler und Baumeister Perspectiv / Zweyter Theil / Worinn die allerleichteste Manier / wie man / was zur Bau = Kunst gehörig / ins Perspectiv bringen solle / berichtet wird / Inventiert, gezeichnet und erstlich heraußgegeben in Rom / von dem vortrefflichen ANDREA POZZO, der Soc. JEsu Fratre ..." Schon dieser Titel mußte zwei junge Künstler von Temperament und Begabung der Asams erregen, auch wenn er gegenüber dem des ersten Bandes etwas strenger gefaßt und der Zusatz „auf das allergeschwindest" gestrichen ist. Ein Meister, der sich in Rom bestens bewährt hatte, vermittelte seine Kunstfertigkeit erschöpfend und ließ es nicht an aufmunternden Worten fehlen.

Einige Zitate aus den Vorreden lassen die Faszination des Bruderpaares verständlich werden. Aus der des ersten Teils: „Das Aug / ob es wohl unter unsern äußerlichen Sinnen das schlaueste ist / wird dannoch mit einer wunderbarlichen Belustigung von der Perspektiv = Kunst betrogen: dahero auch dieselbe den jenigen wol nöthig ist / welche in dem Mahlen so wol einer jeden Figur ihren gehörigen Stand und Verkürtzung zu geben / als nicht minder die Farben und Schatten gebührend zu erhöhen oder zu ringern sich befleissen. Hierzu aber kan man nicht besser und gleichsam unvermerkter gelangen / als wann man sich nicht allein auf das Zeichnen leget / sondern auch alle Ordnungen der Bau = Kunst auf das genaueste perspectivisch aufzureissen sich angewehnet." „Inmmittelst beliebe der Leser das Werck mit Freuden anzugreiffen / und nehme sich den Fürsatz / alle Linien seiner Handlungen stets nach dem warhafftigen Aug = Puncten / das ist / nach der Ehre GOttes / zu ziehen: da ich demselben so wohl wünsche / als zugleich versichere / daß Er solcher getalten seines löblichen Verlangens werde zu vergnügtem Glücke theilhafftig werden."[5] Aus der Vorrede des zweiten Teils: „Verlanget ihr aber / dieser Kunst in kurtzer Zeit mächtig zu werden; so müsset ihr euch nicht lang in Durchlesung und Auffschlagung der alleinigen Auslegungen auffhalten / sondern den Circkel und das Linial zur Hand nehmen: und solcher gestalten werdet ihr je mehr und mehr einen Eyffer und Begierde in euch verspüren / nicht nur die Figuren in diesem Werck nachzuzeichnen / sondern auch noch bessere und schönere nach dem Talent und Gabe / so euch GOtt / als der Geber aller Güter / verleyhen wird / auszusinnen und zu erfinden. Zu desselben Lob und Ehr soll auch unsere geringe Arbeit / und dann eines jeden Fleiß alleinig angesehen und eingerichtet seyn."[6]

Die Beherrschung der Perspektive ist für den Maler ein Erfordernis und zugleich ein Symbol christlicher Lebensführung. Besonders angesprochen waren die Asams sicher durch Figur 73 des zweiten Bandes, die einen Altarentwurf Pozzos für die römische Jesuitenkirche Il Gesù zeigt. Die folgende Tafel erläutert mit Grundriß und Schnitt die von der Architektur notwendigerweise vorgegebene Anlage der verdeckten Beleuchtung des Altarbildes. Der Text zur 73. Tafel führt dicht an unser Thema heran. „Ich habe noch eine andere Erfindung gehabt / die villeicht der vorigen fürzuziehen ist / und sich zu eben obigem Altar sehr wohl schickte / weilen ich das Gemäß gleichfalls auf denselben Orth gerichtet: Jedoch würde derley Inventionen weit schöner seyn / wann die Oeffnung in der Mitte des Gewölbs (so fern die Unbequemlichkeit des Orts nicht verhinderte) geschehen könte; indeme als dann ein trefliches Liecht vorhanden wäre / in die Weite einen Triumph der Seeligen / oder sonsten eine Architectur mit Farben / oder von Bildhauers = Arbeit vorzustellen; falls der Wille des Bau = Herrn / und die Kunst deß Bau = Meisters hierinnen einerley Zweck und Absehen hätten. Es würde aber nichts destoweniger dieser Riß sich auf einer gemahlten Taffel / oder in Bildhauer = Arbeit ohne einige Oeffnung trefflich wohl praesentieren lassen..."[6]

Die Tafeln können mit ihrem Begleittext als unmittelbare Vorschau auf die Hochaltäre von Weltenburg und Rohr verstanden werden. Selbst die mißverständliche Übersetzung des lateinischen Textes wirkt noch anregend auf die schöpferische Phantasie, denn mit der „Oeffnung in der Mitte des Gewölbs" ist keineswegs ein bernineskes Glorienfenster gemeint, wie man zunächst annehmen möchte, sondern der Bogen im Scheitel der Apsis. In Weltenburg hatte Cosmas Damian an dieser Stelle Schwierigkeiten und war zu einer Korrektur gezwungen, so, als wäre er noch von den Divergenzen im Zusammenspiel von Figur und Erläuterung dieser Pozzo-Stelle irritiert gewesen. Die beiläufige Wendung: ,,falls der Wille des Bau = Herrn / und die Kunst deß Bau = Meisters hierinnen einerley Zweck und Absehen hätten", macht die ganze Schwierigkeit offenkundig. Den Bauherrn kann man von einer Konzeption überzeugen. Wenn aber zuerst der Baumeister tätig ist und seinen Ehrgeiz darein setzt, mit seinem Entwurf den Bauherrn zu bestechen, was bleibt dann den Ausstattungskünstlern an originellen Möglichkeiten? Pozzos Figur 73 allein hätte Cosmas Damian und Egid Quirin Asam zur ,,Gründung" der ,,Firma Asam" anregen können. Malerei und Bildhauerei, aber auch die Architektur mußten einem Geist entspringen – einem Geist, vertreten durch zwei Köpfe. Der umfassende Entwurf bemächtigt sich aller Kunstgattungen. Andrea Pozzo bestimmte also die Brüder, sich mit allen Kunstgattungen zu befassen. Da sowohl der Freskant als auch der Altarbauer über architektonische Kenntnisse verfügen mußte, war der Schritt zum Entwurf des Bauwerks selbst klein und naheliegend.

1711 oder im folgenden Jahr konnte Cosmas Damian nach Rom aufbrechen. Da er 1714 das Kuppelfresko der Benediktinerkirche im oberpfälzischen Ensdorf signierte, darf man mit seiner Rückkehr im Laufe des Jahres 1713 rechnen. Am 23. März dieses Jahres hatte er als Student der Accademia di San Luca den ersten Preis der ersten Malklasse gewonnen.[7] Dieser Triumph des jungen bayerischen Künstlers in Rom wurde von den Zeitgenossen mehrfach verzeichnet, so daß man annehmen darf, Cosmas habe ihn in der Heimat keineswegs schüchtern verborgen. Neben der Akademie bot die Papststadt das riesige Studienfeld der hochbarocken Kunst des 17. Jahrhunderts. Von ihren drei Großmeistern war nur Francesco Borromini aus dem Baufach gekommen, während sich Gianlorenzo Bernini von der Bildhauerei und Pietro da Cortona von der Malerei zur Architektur aufgeschwungen hatten, ganz zu schweigen von dem noch immer strahlenden Vorbild Michelangelo. Neben Pozzo, der durch sein architektonisches Schaffen den Ruf seiner Deckenmalerei nicht gerade verdunkelt hatte, konnten vor allem die früheren römischen Größen mögliche Scheu der Asams vor einem Übergriff in die Baugestaltung zerstreuen.

Die Frage, ob auch Egid Quirin in Rom gewesen sei, ist bis heute nicht aus Schriftquellen zu beantworten. Aus dem Charakter seiner Werke wird jedoch allgemein gefolgert, daß er in der Ewigen Stadt gewesen sein müsse. Als Pater Karl Meichelbeck aus Benediktbeuern unter dem 29. Januar 1713 in seinem römischen Tagebuch ein Treffen mit Cosmas Damian verzeichnet, erwähnt er den Bruder nicht. Die Folgerung, Egid sei nicht zusammen mit Cosmas in Rom gewesen, ist umso naheliegender, als auch sein Lehrverhältnis mit Andreas Faistenberger dagegen spricht. Im Vermerk seiner Ledigsprechung heißt es: ,,Hat sich auch in seiner Lehrzeit, wie recht ist, ehrlich und wohl verhalten, anno 1716."[3] Das läßt nicht auf Unregelmäßigkeiten, wie längere Abwesenheit, schließen. Dagegen fällt auf, daß die Lehrzeit entgegen Brauch und Absprache um ein Jahr verkürzt wurde. In diesem Umstand könnte der Schlüssel zur Lösung der Frage von Egids Rombesuch liegen.

1716 wurde der Grundstein zu der von Cosmas entworfenen Benediktinerkirche Weltenburg, 1717 der zu der von Egid geplanten Augustinerkirche Rohr gelegt. Wenn der nur 24jährige Bildhauer und Stukkator mit dem Entwurf der Stiftskirche betraut wurde, so müssen wir mit einer Empfehlung durch seinen älteren Bruder rechnen, denn dieser war

Grundriß und Längsschnitt von Pozzos Altarentwurf, Fig. 74

Figura 74.

im nahen Weltenburg für die Chorherren zweifellos der erste Ansprechpartner. Cosmas dürfte die Gleichstellung des Bruders zu Beginn ihrer gemeinsamen Tätigkeit ermöglicht haben, nach der Egid sicher gedrängt hat. Zu einer solchen Gleichstellung gehörte aber auch ein Studienaufenthalt in Rom. Das Jahr 1716, in dem die Kirche von Weltenburg im Rohbau war und Egid hier noch nicht gebraucht wurde, kommt für eine Italienfahrt des Bildhauers am ehesten in Betracht: Wanderschaft im Anschluß an die verkürzte Lehre.[8]

Wenn wir als Zeit der Vorplanung für die Rohrer Kirche den Winter 1716/17 veranschlagen, schränkt sich der Zeitraum für einen Romaufenthalt Egid Quirins auf etwa ein halbes Jahr ein. Das wäre sehr kurz, doch könnten wir voraussetzen, daß er von Cosmas mit Hilfe allen erreichbaren Stichmaterials wie auch eigener Skizzen bestens auf die Wunder Roms vorbereitet war. Zugegeben sei, daß wir auch mit diesen Überlegungen die anstehende Frage nicht aus dem Bereich der Hypothese heben können.

Cosmas Damian Asam hatte Weltenburg im Vertrauen darauf begonnen, daß die Entscheidung des Jahres 1711 volle Früchte tragen würde. 1717 war die ,,Firma Asam'' eine Realität und auch Egid Quirin als Architekt bereits am Werk. Die vom Vater ererbten engen Beziehungen zum Benediktinerorden öffneten ein weites Arbeitsfeld, das schnell wachsender Ruhm vergrößerte.

Die Werke

Kirche und Kloster der Benediktinerabtei Weltenburg

Auf den Hochaltar der Klosterkirche Weltenburg stellten die Brüder Asam ein lebensgroßes Roß. Dem Bauherrn, Abt Maurus Bächel, gefiel dies, denn er war der Sohn eines Schmieds. Einzigartig glanzvoll erscheinend, erwies sich der Kirchenpatron St. Georg zwar 1803 machtlos gegen die Säkularisation, gewann aber mit der Neuentdeckung des Barocks seine Kraft zurück. Wenn er selbst durch das Zweite Vatikanische Konzil auch in die Ecke der obskuren Heiligen gedrängt wurde, so blieb sein Roß doch das Zugpferd für die vielfältigen Aktivitäten von Kloster Weltenburg, das 1842 von Ludwig I. als Priorat wiederbelebt wurde und 1913 erneut zur Abtei aufstieg. Wie an anderen Orten höchster Kunstentfaltung erleben wir diese in der Weltenburger Kirche als eine eigene Form des Gottesdienstes, die nicht nur das Verhältnis von Diesseits und Jenseits in einer längst historisch gewordenen Weise zur Darstellung bringt, sondern dem Kloster eine Attraktivität und Zuneigung sichert, die über alle konfessionellen Schranken hinausgeht.[9]

Aus einer tausendjährigen Geschichte war Weltenburg wenig mehr als der Ruhm, das älteste Kloster Bayerns zu sein, verblieben. Wenn das alljährliche Hochwasser der Donau von Zeit zu Zeit nur die Gartenmauer eindrückte, so trafen die Wogen der Weltgeschichte das Kloster voll. Im frühen 7. Jahrhundert vom burgundischen Kloster Luxeuil aus durch iroschottische Kolumbanermönche gegründet, erhielt Weltenburg um 740 – wohl durch Bonifatius – die Benediktinerregel. Gelegentlich überbrückten Regensburger Augustinerchorherren in Weltenburg Phasen benediktinischer Schwäche.

Maurus Bächel, der in Frauenzell, wo er 1690 Profeß abgelegt hatte und zum Prior aufgestiegen war, die mutlose Stagnation eines ärmlichen Klosters erlebt und als kurzzeitiger Prior von Ensdorf den Schwung eines Neubeginns mitbekommen hatte, nahm 1713 die Wahl zum Abt Kloster Weltenburgs erst nach Zusicherung finanzieller Hilfe von höchster Stelle an. Wahrscheinlich hat sein Ruf als Verwalter ihn empfohlen. Dennoch resignierte er 1743, sechs Jahre vor seinem Tod, als der Österreichische Erbfolgekrieg ein gutes Wirtschaften unmöglich machte. Zunächst griff er seit 1709 laufende Bestrebungen zur Erneuerung des ruinösen Klosters auf und drängte den bereits mit der Planung befaßten Franziskanerbruder Philipp Plank zu klösterlicher Bescheidenheit. Während der Klosterneubau seit 1714 ausgeführt wurde, trat eine Wende ein. Der Spanische Erbfolgekrieg nahm ein Ende, und in Ensdorf freskierte Cosmas Damian Asam, dessen römisch inspirierte Phantasie neue Maßstäbe setzte.

Cosmas dürfte sich von Ensdorf aus um den Weltenburger Kirchenbau beworben und Abt Maurus für seine Ideen begeistert haben. Als Architekt der Kirche war Philipp Plank ohnehin kaum in Erwägung gezogen worden. Im Hinblick auf deren Neubau hatte der Abt bereits 1713 die Marienkapelle auf dem Frauenberg über dem Kloster als Ausweichraum neu aufführen lassen. Diese Marienkapelle hatte der Klosterlegende zufolge der hl. Rupert um 700 anstelle eines Minervaheiligtums errichtet: „Santa Maria sopra Minerva" – und darunter „SS. Giorgio e Martino". Die den Heiligen Georg und Martin geweihte Kirche sollte ein römischer Bau werden, so römisch, wie man ihn in Rom erstellen würde, wenn dort die Uhr nicht schon abgelaufen wäre; kein Werk italianisierenden Reduktionsbarocks, sondern eine originäre Fortführung des römischen Barocks des 17. Jahrhunderts.

Um das Wesen von Weltenburg zu erfassen, ist es notwendig, sich von dem Boden des Alltäglichen abzustoßen. Die wissenschaftliche Diskussion der letzten zwei Jahrzehnte hat gerade durch Beobachtung des bauhandwerklich Faktischen die Unmöglichkeit einer vom Üblichen ausgehenden Interpretation erwiesen. Das Innere der Kirche erfordert sensible

Kloster Weltenburg, Luftaufnahme

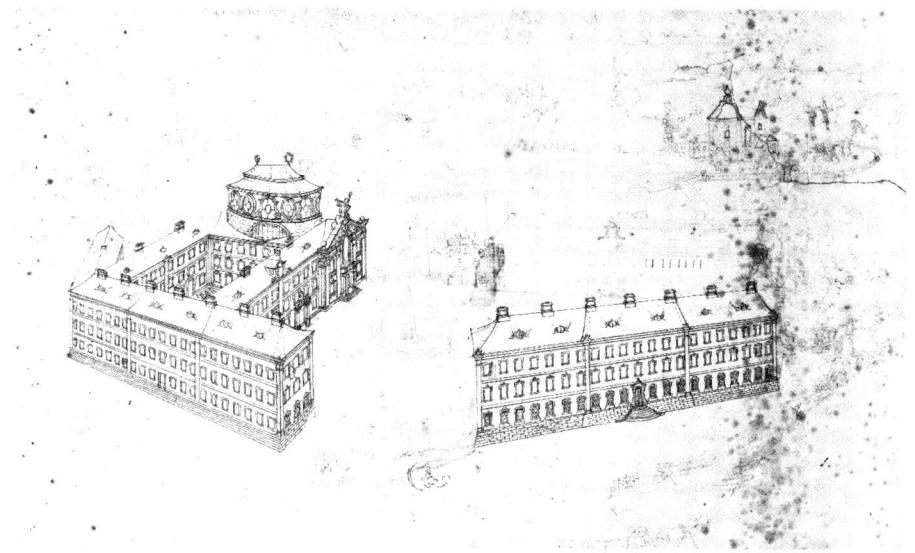

Kloster Weltenburg, Darstellung der projektierten Anlage, vor 1721, unvollendete Federzeichnung im Museum der Stadt Regensburg, Ausschnitt

Disziplin, ihr Äußeres und damit der Klosterbau setzen Phantasie voraus, denn hier erreichte ein Gedanke Cosmas Damian Asams nicht seine volle Prägnanz. Wegen der Durchdringung von Kirchen- und Klosterbau greift der Titel dieses Kapitels über die Kirche aus.

Die wichtigsten Daten zu Bau und Innenausstattung der Kirche:

1716	Abbruch der alten Kirche.
	29. Juni: Grundsteinlegung durch den Freisinger Fürstbischof Joh. Franz Eckher von Kapfing und Liechteneck, da der Regensburger Bischofsstuhl vakant ist.
	Ausführung durch Maurermeister Michael Wolf und Zimmermeister Johann Wenzler, beide aus Stadtamhof.
1718	9. Oktober: Weihe des Rohbaus durch den Freisinger Fürstbischof Joh. Franz Eckher.
bis 1722	Ausführung von Marmorarbeiten durch Steinmetzmeister Pietro Francesco Giorgioli.
1721	Hauptdeckenbild von Cosmas Damian Asam signiert und datiert.
	Aufstellung des Hochaltars durch Egid Quirin Asam.
1723	Die Entfernung der Gerüste ist für das Frühjahr vorgesehen.
1723/24	Maria Salome Bornschlögl, die Schwester der Brüder Asam, ist mit Faßmalerarbeiten beschäftigt, vermutlich am Hochaltar.
1724	Kirchenpflaster.

S. Andrea al Quirinale in Rom; Stich von Giovanni Battista Falda, 1667/69, Ausschnitt

1728/29	Orgel.
1732	Ausführung der Marmorkanzel durch Joh. Jakob Kürschner.
1734–1736	Ausstattung des Schiffs und der Vorhalle mit Altären und Wandfresken, mit Beicht- und Kirchenstühlen.
1740	Vollendung des Deckenbildes im Hochaltarraum durch Franz Erasmus Asam, den Sohn Cosmas Damians.
1745	Deckenbild der Vorhalle durch Franz Erasmus Asam.
1751	Stuckaufsätze der Beichtstühle der Vorhalle durch Franz Anton Neu aus Prüfening.

Diese Übersicht macht deutlich, daß die Weltenburger Kirche die Brüder Asam fast über ihre gesamte Schaffenszeit beschäftigte. Cosmas Damian, der das Deckenbild auf einem vor dem Bauherrn Abt Maurus Bächel liegenden Satz von fünf Rissen – der oberste zeigt

Kloster Weltenburg, Schauseite der Kirche vom Donauportal aus ▷

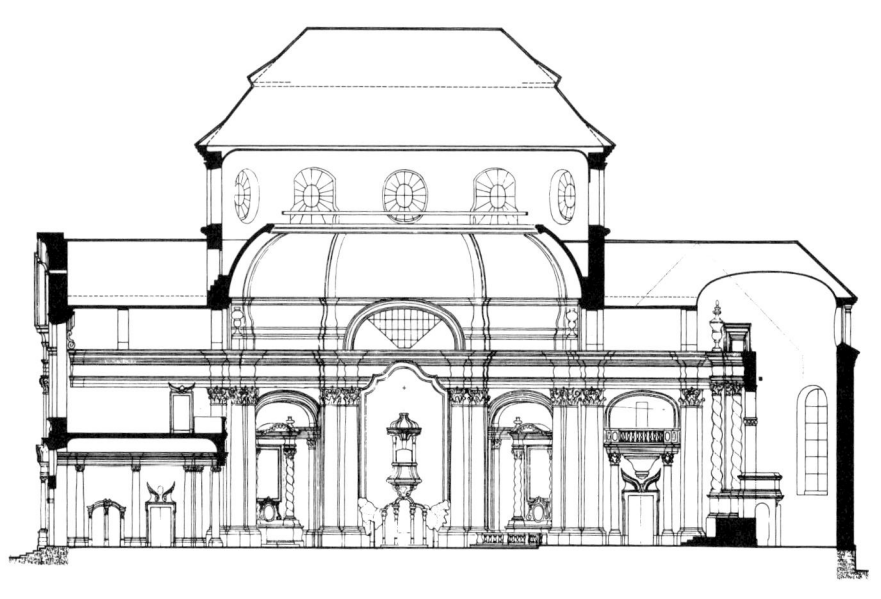
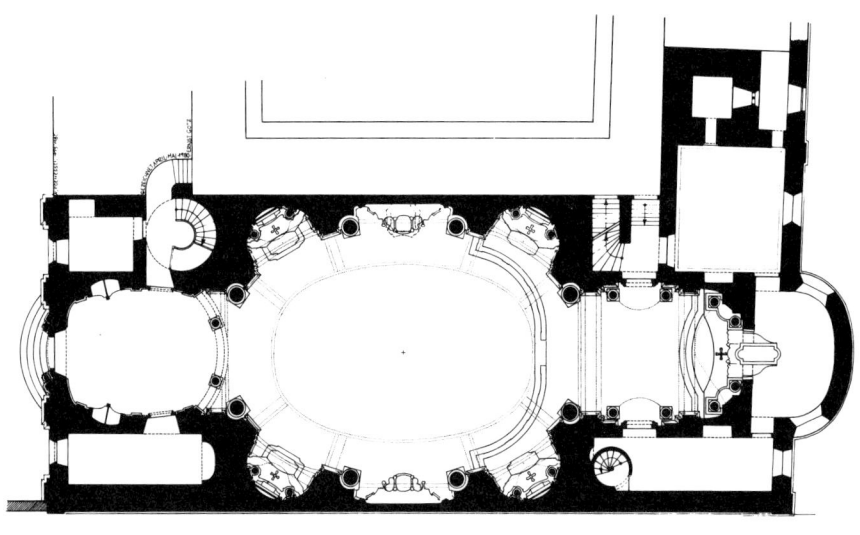

Weltenburg, Klosterkirche, Grundriß und Längsschnitt nach Ernst Götz

den Kirchengrundriß – mit „Cosmas Damin Asam Pictor et Architectus anno 1721" signierte,[10] dürfte sich 1715/16 und wiederum 1720/21 voll konzentriert haben, jeweils bei Vorbereitung und Ausführung von Bau und Fresko, während die Fresken und Altarblätter um 1735 kaum mehr seinen vollen Einsatz erforderten. Egid Quirin wird 1721/22 wie auch um 1735 langwieriger am Ort tätig gewesen sein, was seine starke Rückbindung an diesen Kirchenraum bei seinen späteren Entwürfen vielleicht mit erklären kann.

Die Zeitspanne von 35 Jahren von der Grundsteinlegung bis zu den letzten Komplettierungen, wie sehr oft durch Finanzierungsschwierigkeiten bedingt und keineswegs ungewöhnlich, fällt hier nur besonders auf, weil immer wieder dieselbe „Firma" auf das Werk zurückkommen mußte. Bei einer hitzig geführten Diskussion hat sich ergeben, daß die anfängliche Konzeption des Werkes durchgehalten wurde, auch wenn im einzelnen manche Stilvariante durch fremde Künstler eingebracht und besonders bei der Ausgestaltung der Vorhalle der Stilentwicklung nachgegeben wurde. Dem Gesamteindruck von konzeptioneller Einheitlichkeit dürfen wir vertrauen. 1723 war das Weltenburger Werk nach Entfernung der Gerüste anschaulich erlebbar, und es ist geradezu auffallend, daß man den augenfälligen und deshalb spendenfördernden Eindruck des Unfertigen nicht dem Hochaltar, sondern der Ausstattung des Schiffs und der Vorhalle überließ.

Wenn wir im Folgenden von einem Bauwerk, das von bestimmbaren Bedingungen abhängig ist, von Architektur, die benennbare Vorbilder hat, oder von Organisationsprinzipien, die nicht traditionslos sind, reden, so ist dies alles sehr relativ zu verstehen, denn wir haben es mit einem Concetto zu tun, in dem sich all dies verdichtet und der ohne dies auch wiederum nicht denkbar ist: Hier hat Cosmas Damian Asam persönliche künstlerische Erfahrungen unter Berücksichtigung lokaler Bedingungen in Bezug auf eine einmalige historische Situation derartig komplex auf die Spitze getrieben, daß alle Vorstufen sich ebenso schichten, wie die Nachfolge in einzelne Komponenten zerfällt.

Der Baubestand der Kirche ist auf den Maßaufnahmen gut zu überblicken. An ein ovales Schiff fügen sich im Westen und Osten symmetrisch eine Vorhalle, über welcher der Mönchschor plaziert ist, und das Altarhaus. Die Kuppel des Ovalraums ist weit gegen einen flachgedeckten Tambour geöffnet, der von zwölf Fenstern durchlichtet wird. Daß die Apsis hinter dem Hochaltar ein ähnliches Lichtgehäuse bildet, machen die Photographien deutlich. Längs- und Querschnitt suggerieren eine gleichförmige Aussetzung des Ovals mit vier breiten und hohen Arkaden in den Achsen, zwischen denen kleinere Arkaden Kapellen von nahezu halbkreisförmigem Grundriß erschließen. Insbesondere vermittelt der Ring des Gewölbes derart den Eindruck von rundlicher Gleichförmigkeit, daß die meisten Beschreiber viel zu stark bei diesem Eindruck verharren. Tatsächlich bildet die Gleichförmigkeit die Basis für eine subtile, aber prägnante Differenzierung.[11]

Nach dieser Vorschau sind einige Bemerkungen zum Verhältnis des Barockbaus zum mittelalterlichen Vorgänger fällig, das erst kürzlich von Lothar Altmann geklärt werden konnte.[12] Der asamsche Grundriß könnte auf eine mittelalterliche Basilika schließen lassen, von der die Grundmauern teilweise weiterverwendet wurden. Eine 1783 von Fr. Edmund Schmid angefertigte Grundrißrekonstruktion, die Vertrauen verdient, erweist die wohl 1191 geweihte Kirche jedoch als einen langgestreckten Saal, dessen östliches Drittel als Mönchschor von einem Lettner abgeschieden war. Während West-, Ost- und Nordgrenze der alten Kirche für den Neubau bestimmt blieben, wurde seine Südmauer gegen den Frauenberg

verschoben.¹³ Dessen Abhang verursachte eine leichte Schwenkung der Kirche entgegen dem Uhrzeigersinn. Die Steigerung der Kirchenbreite um etwa ein Drittel war notwendig, um bei der neuen Grundrißdisposition die alte Nutzfläche einigermaßen zu halten. Wurde auch an rein äußerer Größe nichts gewonnen, so ersetzte Cosmas Damian Asam eine Kirche vom Charakter karolingischer Billigbauweise durch ein Werk höchster Kunstentfaltung: „Welche zuvor die schlechtiste war in landts Bayern, gleichet nun aller, und vielleicht ihr keine . . .", da hat der Prediger am 19. Oktober 1721 durchaus nicht rhetorisch geflunkert. Innerhalb des gegebenen beschränkten Bauplatzes gestattete sich Cosmas Damian räumliche Kontraktionen, um sein Konzept desto mitreißender darstellen zu können; Abt Maurus Bächel ging mit, obwohl er die Finanzierungsengpässe vorausgesehen haben dürfte.

Betreten wir den Kirchenraum. Warten wir einige Sekunden, bis das Auge sich an die Lichtverhältnisse gewöhnt hat und die zuerst plakativ hart erscheinenden Zielpunkte des Hochaltares und des Deckenfreskos einen Zusammenhang mit dem Ganzen gewonnen haben. Das Ganze ist wichtig, denn ohne die ornamentale und bildliche Ausstattung bliebe eine Architektur, die in den Details unverständlich wäre. Die Behauptung, „die Nischen (Kapellen-)räume gehören . . . je nach Lesart sowohl den (Dreier-)Gruppen der Quer- wie der Längsachse zu"¹⁴, setzt die Vorstellung einer selbständig lebensfähigen Architektur voraus und läßt bei dieser wechselnden Zusammensicht der hohen und niedrigen Arkaden entscheidende Prinzipien barocker Gruppierung außer acht. Auch wenn es sich noch um eine autonome Architektur handelte, würden sich die Achsen der Kapellen, die wie üblich auf die Brennpunkte des Ovals, dieser aus Kreissegmenten gebildeten Annäherung an eine Ellipse, zielen, im Querblick erst kurz vor der gegenüberliegenden Wand treffen, an einem immerhin exzentrischen Betrachterstandpunkt. Auf der Längsachse erscheint die Dreiergruppe dagegen geschlossen, ehe der Betrachter den Schnittpunkt erreicht hat. Es handelt sich aber keineswegs um eine autonome Architektur. Deshalb wollen wir die Übertragung des römischen Ovalgrundrisses mit all seinen Vorzügen nach Bayern¹⁵ als eine weiterwirkende Leistung verbuchen und uns den Besonderheiten zuwenden. Dabei darf man davon ausgehen, daß Cosmas Damian Asam Abt Maurus seine Vorstellung durch ein ähnliches Schaubild erläuterte, wie es sein Bruder später für eine Rundkapelle zeichnete. Die Risse für Maurermeister Wolf waren nur Auszüge aus der präzisen Gesamtvorstellung für den Bautechniker.

Der ockerfarbene Weltenburger Marmor gibt dem Kircheninneren eine Ernsthaftigkeit, die ebenso römisch-gravitätisch wie lokal-naturhaft wirkt. In die Geborgenheit des Ovalraums bricht das Licht der Überwelt – in einer unmittelbar erlebbaren, oft beschriebenen Mystik.¹⁶ Lediglich die verglasten Bogenfelder der Querachse spenden unverhülltes Tageslicht. Die andere Lichtart macht auf eine Sonderstellung der Querachse aufmerksam, die durch jedes Detail ihrer Ausgestaltung bestätigt wird, insbesondere durch das Vorziehen der Säulen, so daß die Linie des Ovals unterbrochen wird.

Chorbogen und östliche Kapellen schließen sich zu einer Dreiergruppe zusammen, gefüllt durch die Trias der Altäre. Die Marmorbalustrade bestätigt die Zusammengehörigkeit am Fußpunkt. Die pyramidale Figurenkomposition des Deckenbildes berücksichtigt die Einheit, die nicht nur die Altarräume, sondern auch die zugehörigen Wand- und Wölbungsfelder umfaßt. Diese stehende Figur, eingeblendet in die übereinander geschichteten

Ringe des Ovalraums, wurde von dem gebildeten Betrachter der Zeit sofort als dreitoriger Triumphbogen erkannt. Ein Vergleich mit dem Konstantinsbogen in Rom (312-315) läßt Nähe und Wandlung eines solchen Urbilds deutlich werden. Im Kirchenraum ist die niedrig gesockelte Säulenordnung gegenüber den Toren abgesenkt, so daß der mittlere Bogen den Sockel der Attika, die hier dem Gewölbering eingeschmiegt ist, ausschneidet. Die Perspektive läßt antwortend den oberen Rand der Attika einsinken und teilt deren Seitenfeldern etwas vom Charakter eines Sprenggiebels mit, wie wir ihn an der kleineren Ehrenpforte des Hochaltars sehen. Die einhüftigen Rücklagen der Gurte – im Mittelfeld fehlen sie – verstärken diesen Effekt. Die Lockerung der Horizontalen in der Mitteltravée wird akzentuiert durch zwei auf dem Grundoval in die Bogenöffnung eingestellte, mit den Pilastern gekuppelte Säulen, die mit Vasen die Vertikale über das Gebälk hinaus fortsetzen. Die Vasen verdecken die Fußpunkte des Chorbogens und lassen ihn so federnd gespannt erscheinen. Vor seinem Scheitel schwebt auf einer Wolke eine leichte Evangelistenfigur. Ein vergoldetes Relief widmet den Triumphbogen in Vertretung der feierlichen antiken Inschriften dem Ordensgründer St. Benedikt: Sein Tod wird als Aufstieg seiner Seele zum Himmel präzisiert. Die als Goldstatuen im Relief gegebenen Erzengel entsprechen den Siegesgenien der Antike.

Lassen die Kapellen das Tormotiv anklingen, so ist es im Altarhaus voll durchgearbeitet. Das Fresko der Tonnenwölbung, hinter der die Deckenzone ihre Greifbarkeit verliert, bezieht sich auf die Gründung des Klosters durch Herzog Tassilo. Der analoge Triumphbogen im Westteil des Ovalraums ist der hl. Scholastika, Benedikts Schwester, gewidmet. Die Empore – unten Eingangshalle, oben Mönchschor – wiederholt die Grundform des Ovals und dringt wie ein Fremdkörper in das Mitteltor ein. Ein Gurt, der im Mönchschor ganz unmotiviert erscheint, steckt für den Schrägblick aus dem Schiff die Tiefe des Bogens ab. Der Orgelprospekt gleicht sich mit vier gewundenen Säulen dem Hochaltar an. Die Konsequenz, mit der im Westen unter erschwerten Bedingungen der Triumphbogen ausgeformt wird, belegt dessen Wichtigkeit.

Die flachen Querachsen sind soweit abgehoben, wie es möglich war, ohne das umgebende Kontinuum zu zerreißen. Hier werden die Bogenanfänger lastend gezeigt. Unter den geöffneten Lünetten senken sich vor der geschlossenen Wand gerahmte Bilder auf Felsen herab. Die Evangelistengestalten sind breit und schwer, und selbst die Rahmen der Reliefs kurven in der Mitte nach unten. Die Bildwerke behandeln das Wirken Benedikts und der Benediktiner auf der Erde. Auch die Beichtstühle ermuntern nicht zum jubelnden Aufblick. Wer es dennoch wagt, dem schaut Cosmas Damian Asam in Festtagstracht entgegen – eine Laufmasche im Gewebe der Augentäuschung, von der Pozzo mit diebischer Freude spricht. Dieser Spaß ist nur in der Querachse möglich, die eine andersartige Zäsur bildet.

Der Hochaltar selbst ist ebenfalls als Ehrenpforte angelegt, eintorig und mit seinem Aufwand barocker Formen der Antike ferner. Im Tor erscheint zu Pferd St. Georg im Kampf mit dem Drachen, daneben die erschrockene Prinzessin. Logen an den Wänden des Altarraums deuten diesen als Proszenium für die Theaterszene vor strahlendem Lichtgrund. Die Szene entwickelt sich nicht voll. Ritter Georg wird durch einen Denkmalsockel emporgehoben, der unmißverständlich auf eine weitere Dimension aufmerksam macht. Wir wollen später darauf zurückkommen.

Der auf Weltenburg abgestimmte Allerheiligenhimmel des Deckenbildes wird von einem

Rom, S. Andrea al Quirinale, Inneres der 1658 nach Entwurf Giov. Lorenzo Berninis begonnenen Noviziatskirche der Jesuiten

runden Säulentempel überfangen. Das Fresko ist auf den westlichen Brennpunkt des Ovalraums berechnet, doch verschiebt sich bei dessen Kürze die Bildarchitektur nur wenig aus der Mitte. So kann der Kreis des farbig herausgehobenen Gebälkrings allseitig mit dem ovalen Unterbau in Beziehung treten. Nähert er sich an den Seiten verschließend der Gewölbeöffnung, so läßt er in der Hauptachse Raum für eine große Figurenpyramide gegen Osten und eine kleinere für den Rückblick. Wenn die Rhythmisierung des Säulenkranzes

Joh. Bernhard Fischer von Erlach: Die 1699 in Wien errichtete Triumphpforte der Fremden Niederleger nach dem Stich der ‚Historischen Architektur' von 1721

Weltenburg, Klosterkirche, Blick zu dem lichtverklärten Deckenbild mit dem schwebenden ▷ Himmelstempel

auch die Gliederung des Unterbaus berücksichtigt, so kann der Rundtempel doch nicht als architektonische Fortsetzung desselben verstanden werden. Die Verschiebung des Augpunktes aus der Mitte und der dennoch im beschriebenen Sinne mögliche Kontakt des Kreises mit dem ovalen Gewölberand bewirken zusammen einen primären Bezug der gemalten Architektur auf den östlichen Triumphbogen; über ihm schwebt der Rundtempel.

Nimmt man die gemalte Architektur als schwebende ernst, so erübrigt sich eine Debatte, ob Cosmas Damian hier den pozzesken Illusionismus sprengt. Er bleibt ihm hier treu, illusioniert aber einen Gegenstand, der bei Pozzo so nicht vorkommt. Ist das Christentum durch das Neue Jerusalem der Geheimen Offenbarung von vornherein mit schwebender Architektur vertraut, woraus im Laufe der Geschichte – etwa für die gotische Kathedrale – umfassende Folgerungen gezogen wurden, so ist der schwebende Rundtempel ein zwar selteneres, aber umso charakteristischeres Motiv des späteren 17. Jahrhunderts. Die Einblendung einer Lichtzone – der Tambour wird als solcher innen nicht greifbar – ist für die Anschauung notwendig, denn ohne dieses zusätzliche Element der Verklärung würde die Bedeutung des oberen Bereichs kaum evident. Der Allerheiligenhimmel, in dem das Personal des unteren Bereichs wiederum auftritt, stellt die Triumphierende Kirche dar, ein schwieriges Unterfangen, da der Ovalraum selbst maximal mit Triumphmotiven aufgeladen ist. Für den Unterbau ergibt sich – verdeutlicht durch die Lichtregie – die Bedeutung Kämpfende Kirche. Wir müssen jedoch eine Differenzierung vornehmen: Der Kampf ist in der Querachse dargestellt, die großen Triumphbögen symbolisieren den Sieg, den Übergang von der Kämpfenden zur Triumphierenden Kirche, sie sind Pforten des Himmels. Im Hochaltar tritt der Kämpfer Georg auf, sichtlich als Sieger; Maria Immaculata entschwebt in der Giebelzone.

Außerhalb des Himmelstempels setzt sich die golden kassettierte Decke fort, ein verwirrendes Detail, das rational eine Vervollständigung der zunächst erfaßten Architektur im Sinne einer von Säulen getragenen Kuppel mit Umgang zu erfordern scheint. Ein anschaulicher Anreiz zu solcher Ergänzung ist jedoch nicht gegeben. Diese Weiterführung dient offenbar der Schließung des Himmelsraumes als eine Art Goldgrund. Ebenso ist das Gebälk des Altarraums gegen den Hochaltar gerundet. Auch die Bögen der Querachse sind – architektonisch unsauber – interpolierend aufgesetzt, nicht auf den Pilastern, aber auch nicht ganz auf den Säulen. Der überaus figurative Charakter des gesamten Gebildes läßt jene Elemente, die der Verknüpfung der einzelnen Figuren, der räumlichen und farblichen Schließung dienen, geradezu als irregulär erscheinen.

Beim Versuch, das Wesentliche der Weltenburger Kirche zu erfassen, drohte die Architektur ständig zu entgleiten. So selbstverständlich die Räume für die Priesterschaft, die Patres und das gläubige Volk – Kapellen, Mönchschor und Schiff – zu bieten waren, so wenig ist im Anschaulichen die Architektur eine isolierbare Größe. Die Architektur ist nicht Ordnungsmacht für die anderen Künste, wie Hans Sedlmayr formuliert hat, sondern sie ist selbst einer ordnenden Macht unterworfen. Diese Macht könnte man als Concetto bezeichnen, einen Concetto, der nicht nur das verbal formulierbare Programm der bildlichen Inhalte umfaßt – ein solches Programm gab es gewiß auch –, sondern einen, der vorgeprägte sinnhafte Figurationen zu einer völlig neuen Gesamtheit verdichtet. Dieses Konzept mußte Cosmas Damian Asam der Bauherrschaft vermitteln. Der gemeinsame Nenner für beide Parteien war die ganz spezifische historische Konstellation.

1713/14 beendeten die europäischen Großmächte mit mehreren Friedensschlüssen den Spanischen Erbfolgekrieg, in den der bayerische Kurfürst Max Emanuel als hoch pokernder und zunächst gewaltig, schließlich aber nichts verlierender Glücksspieler verwickelt war. Erst im Frühjahr 1715 kehrte er aus langem französischem Exil in sein nach zehnjähriger Besatzung von den Österreichern wieder geräumtes Land zurück. Dem verschwiegennächtlichen Eintreffen in München am 10. April folgte am 11. Juli, dem Geburtstag Max Emanuels, der festliche Einzug, zu dem die Residenzstadt und die Landstände Dekorationen errichten ließen.[16a] Cosmas Damian Asam war an den Aktivitäten, die Fürst und Volk versöhnen sollten, beteiligt und lieferte Vorzeichnungen für die Illustrationen der von den Jesuiten überreichten Festschrift „Fortitudo Leonina". Mochten die Zeichnungen auch geeignet sein, den jungen Künstler dem Landesherrn bekannt zu machen, so können wir rückschauend gut auf sie verzichten, wenn wir die Größe des Malers abschätzen wollen. Ganz anders sieht es aus, wenn wir die Teilnahme Cosmas Damians an der Fürstenhuldigung in Bezug setzen zur Planung der Weltenburger Kirche, die noch im selben Jahr angelaufen sein muß. Festlichkeiten bieten selbstverständlich einen Anlaß, die bei früheren Gelegenheiten errichteten Schaugerüste zu Rate zu ziehen und über das Benötigte hinauszugreifen.

Der bekannteste Stich der „Fortitudo Leonina" greift auf das Gebiet der Straßenausschmückung über, denn er zeigt ein riesiges Reiterdenkmal Max Emanuels vor der Fassade der Münchener Residenz, unterhalb der „Patrona Boiariae". Das Denkmal des Stichs ist zu vergleichen mit François Girardons 1699 in Paris aufgestelltem Reiterdenkmal Ludwigs XIV., besser noch mit Andreas Schlüters 1700 vollendetem Standbild des Großen Kurfürsten in Berlin.[17] Wenn sich das Thema Reiterstandbild auch wie ein roter Faden durch die Kunst Max Emanuels zieht, so gelang seine Realisierung doch nur in ephemeren Dekorationen der 80er Jahre und in zwei Miniaturdenkmälern – um 1710 und 1714 –, die für Schloßsäle bestimmt waren. Cosmas Damian Asam hatte den Einfall, das gestochene Reiterdenkmal der Jesuiten-Festschrift auf den Hochaltar der Benediktinerkirche zu übertragen. Großformatige Reiterbilder – Georg und Martin – kommen seit Beginn der Neuzeit als Gemälde wie auch als plastische Gruppe auf Altären vor; die Einzigartigkeit der Weltenburger Lösung liegt in dem gesockelten und senkrecht zum Betrachter ausgerichteten Denkmal.

Als der Kurfürst 1721 das Kloster besuchte und die Kirche besichtigte, huldigte ihm der Abt mit der Bitte, das kurfürstliche Wappen am Hochaltar anbringen zu dürfen. Diese diplomatische Geste ist in der Assistenzfigur des hl. Maurus verewigt, die die Züge Maurus Bächels trägt. Der Reiter zeigt dagegen die allgemeine Physiognomie eines jugendlichen Heiligen. Der hl. Georg stellt den Landesherrn nicht dar, sondern spielt auf diesen an, der als Türkensieger den Titel eines Vorkämpfers der Christenheit beanspruchen darf. Die Allusion wird durch den – für einen Georg sinnlosen – Sockel und durch die Lorbeerkränze um dessen Helm wie über dem Kurhut des Wappens verdeutlicht. Dieses ist mit der Ordenskette des Goldenen Vlieses geschmückt, nicht aber mit jener des 1729 von Karl Albrecht installierten Ritterordens vom Heiligen Georg. Da derartige heraldische Insignien in der Präzision der Aussage einer Schrift nicht nachstehen, ist völlig klar, daß sich die alludierende Komponente des Hochaltars auf Max Emanuel bezieht.[18] Im 19. Jahrhundert wurde die Interpretation des Hochaltars mit Bezug auf den Ritterorden „St. Georgii defensorum

Frontispiz des vierten Teils der 1702 von Joh. Ulrich Kraussen in Augsburg herausgebrachten ‚Historischen Bilderbibel'

Weltenburg, Klosterkirche, Inneres nach Westen

immaculatae Conceptionis Beatae Mariae Virginis" durch die Beifügung eines Ordensritters im Apsisfresko ins Kunstwerk selbst getragen. Wenn auch diese Übermalung längst entfernt ist, haftet die Vorstellung noch in den Köpfen. Gewiß entspricht die Ikonologie des Altars und des Apsisfreskos jener des Ordens[19], doch berief sich Karl Albrecht bei der Ordensgründung auf ein Vorhaben seines Vaters und auf einen mittelalterlichen Vorgänger. Derartige Georgsorden sind charakteristisch für Kreuzzugszeiten, so daß man annehmen darf, Max Emanuels Neugründungsabsicht reiche in die Zeit der Türkenkriege zurück.

Bei dem Insistieren auf der Max-Emanuel-Allusion geht es nicht um die theologische, sondern um die historische Deutung des Altarprogramms und damit um die Deutung der gesamten Architektur des Kircheninneren.

Die Analyse des Kircheninneren – schwebender Tempel über Triumphbogen – zieht ein Meisterwerk Johann Bernhard Fischers von Erlach in den Kreis der entscheidenden Vorbilder, die 1699 in Wien anläßlich der Heirat König Josephs I. (Kaiser 1705–1711) aufgerichtete Ehrenpforte der Fremden Niederleger. Der kaiserliche Architekt nahm diese Ehrenpforte 1721 als einzige in die „Historische Architektur" auf. Hier wird der Stich dieser Publikation abgebildet, wenn Cosmas Damian auch eine ältere Wiedergabe vorgelegen haben muß. Seiner Phantasie war es möglich, den handwerklichen Charakter eines gewiß aktuell gestochenen Augsburger Blattes[20] zu überspielen und zur Intention Fischers vorzustoßen. Neben Art und Zuordnung der beiden Architekturen, die bei der Wiener Triumphpforte und dem Weltenburger Kircheninneren – was man leicht übersieht – etwa gleiche Dimension haben, ist das Reiterbildnis Josephs I. ein weiteres verbindendes Element.

Im Schaffensprozeß werden auch bescheidene Anregungen aus einer den Asams gewiß längst vertrauten Publikation nicht verschmäht. Bei der Übertragung der Konzeption Fischers von Erlach auf den Kirchenraum dürfte ein weiterer Stich hilfreich gewesen sein. Die 1702 von Johann Ulrich Kraussen in Augsburg herausgebrachte „Historische Bilderbibel", in der zahllose Vorlagen verarbeitet sind, leitet ihre fünf Teile mit Ehrenpforten ein. Für Weltenburg ist das Frontispiz des vierten Teils von Interesse, denn es läßt die Möglichkeit aufscheinen, einen Triumphbogen einem Kreissegment einzuschmiegen und dem Gewölbering die Funktion der Attika zuzuweisen. Den Zusammenhang erhärtet der bekrönende, auf den Namen Gottes zeigende Prophet, Vorbild für die Benediktsfigur auf dem Schalldeckel der Kanzel.

Mehr oder weniger ausgeprägt triumphbogenartige Formationen waren seit Leon Battista Albertis 1470 begonnener Kirche S. Andrea in Mantua[21] in der Wandgliederung von Sakralräumen geläufig und auch auf den Ovalraum übertragen worden, der in der zweiten Hälfte des 16. Jahrhunderts italienische Architekten beschäftigte.[22] Die nach 1600 von Carlo Maderna vollendete römische Kirche S. Giacomo degli Incurabili wäre etwa zu nennen. Der Faszination dieses Raumtyps erlag Asam offenbar in Berninis Spätwerk, der 1658 begonnenen jesuitischen Novitiatskirche S. Andrea al Quirinale. Ob Cosmas Damian – etwa bei der Rückkehr aus Rom – auch Wien, wo der Ovalbau seit der Mitte des 17. Jahrhunderts gepflegt wurde, und Salzburg, wo er in den 80er und 90er Jahren erscheint, kennenlernte, kann man vorerst nicht entscheiden. Von allen Vorgängern unterscheidet sich der Weltenburger Ovalraum dadurch, daß die eingeblendeten Triumphbogen-Figuren den ihnen zugeteilten Sektor in der Vertikalen ganz ausfüllen. Diese restlose Umsetzung ins Figurative wird durch das Motiv der horizontal aufgeschnittenen Kuppel ermöglicht.

Bernhard Kerber hat dieses durch das römische Pantheon angeregte und um 1635 im Treppenhaus von Schloß Blois durch François Mansart in die Barockarchitektur eingeführte Motiv zuletzt verfolgt.[23] Wenngleich relativ selten erscheinend, war dieses Motiv im späteren 17. Jahrhundert und im ersten Drittel des 18. Jahrhunderts den Architekten des europäischen Kulturkreises als Möglichkeit geläufig. Als optische Auswertung der doppelschaligen Kuppel finden wir es an Jules Hardouin-Mansarts Invalidendom in Paris und an Christopher Wrens Paulskathedrale in London bereits, ehe es die seit 1686 kursierenden Architekturstiche Guarino Guarinis allgemein verbreiteten. Kerber hat ein Andrea Pozzo zugeschriebenes Projekt zu einer querovalen Kirche mit einer solchen Kuppellösung als mögliche Vorstufe für Weltenburg publiziert. Wenn auch nicht auszuschließen ist, daß Cosmas Damian diesen Entwurf im Collegio Inglese während seines römischen Aufenthalts zu Gesicht bekam, führt er doch nicht näher an den spezifischen Charakter der bayerischen Kirche heran. Gewiß gehört zum Kreis der Anreger Francesco Borrominis neben S. Andrea al Quirinale gelegene Kirche S. Carlo alle quattro Fontane, von der Asam den Diademreif vor der Lichtzone und auch die wechselnd auf Fuß und Kopf stehenden Baluster der Altarhaus-Logen übernahm. Sicher waren ihm auch die Kapellen Antonio Gherhardis in Santa Maria in Trastevere und S. Carlo ai Catinari bekannt. Vor allem ist die 1705–1707 errichtete Wallfahrtskirche Frauenbründl vor Straubing[24] zu nennen, deren Deckenbilder übereinstimmend Georg Asam zugesprochen werden. Als Mitarbeiter seines Vaters dürfte Cosmas zwanzigjährig hier das Motiv des gegen die Decke eines Tambours geöffneten Gewölbes kennengelernt und für eine effektvollere Auswertung im Gedächtnis notiert haben.

Der Hochaltar unter dem Chorbogen evoziert die Vorstellung einer Triumphgasse, in deren Perspektive eine weitere Ehrenpforte im Bogen einer vorderen erscheint.[25] Der Anklang erweist die Konzeption dieser Partie ebenso als einheitlich wie das durch die Choretti signalisierte Verhältnis von Proszenium und Bühne, ganz abgesehen von der Grundrißsymmetrie. Unstimmigkeiten im Zusammenspiel von Dachstuhl und hölzerner Apsiswölbung, die Eckhard von Knorre beobachtet und gegen eine Einheitlichkeit des Entwurfs ins Feld geführt hatte, konnten von Dorith Riedl und Ernst Götz überzeugend als Korrekturen noch während des Rohbaus gedeutet werden.[26] Zunächst war vorgesehen, im Anschluß an die Tonnenwölbung eine gemauerte Viertelkugel auf die Rückwand des Altars abzusenken. Die Apsis wäre dann mit einer niedriger angesetzten Wölbung oder auch mit einer Flachdecke geschlossen zu denken. Das begonnene, vielleicht auch schon ganz ausgeführte Gewölbe über dem Altar wurde dann fallengelassen und eine hohe hölzerne Kalotte über den gesamten Bereich gespannt. Dies machte eine Erhöhung der Apsis notwendig, was dem Außenbau zugute kam. Im Inneren ist der Gewinn derart, daß man ihn nicht zu beschreiben braucht. Jetzt erst hat das ursprüngliche Konzept seine Prägnanz und mit dem Glorienfenster hinter dem Altarauszug seine Brillanz gewonnen. Daran gemessen, bleibt die erste Wölbungsplanung geradezu unverständlich, bis man bemerkt, daß Cosmas Damian einem Altarprojekt für Il Gesù gefolgt war, das Andrea Pozzo in seinem Traktat publiziert hatte (Bd. II, Fig. 73 f.). Auch große Künstler müssen sich lösen und formulieren ihre Gedanken schrittweise aus.

Für das Verständnis der Schauseite der Kirche ist ein Blick auf das Bildprogramm der linken Zwischenachse mit der Kanzel von Gewinn. St. Benedikt ruft mit seiner Regel zu gottgefälligem Leben auf. Die einen erklimmen den steilen Pfad der Tugend und gelangen

Reiterdenkmal Max Emanuels vor der Münchner Residenz, Stich von Joh. August Corvinus und A. Matthäus Wolffgang nach Cosmas Damian Asam in der 1715 von den Jesuiten überreichten Huldigungsschrift ‚Fortitudo Leonina', Ausschnitt

Weltenburg, Klosterkirche, Hochaltar

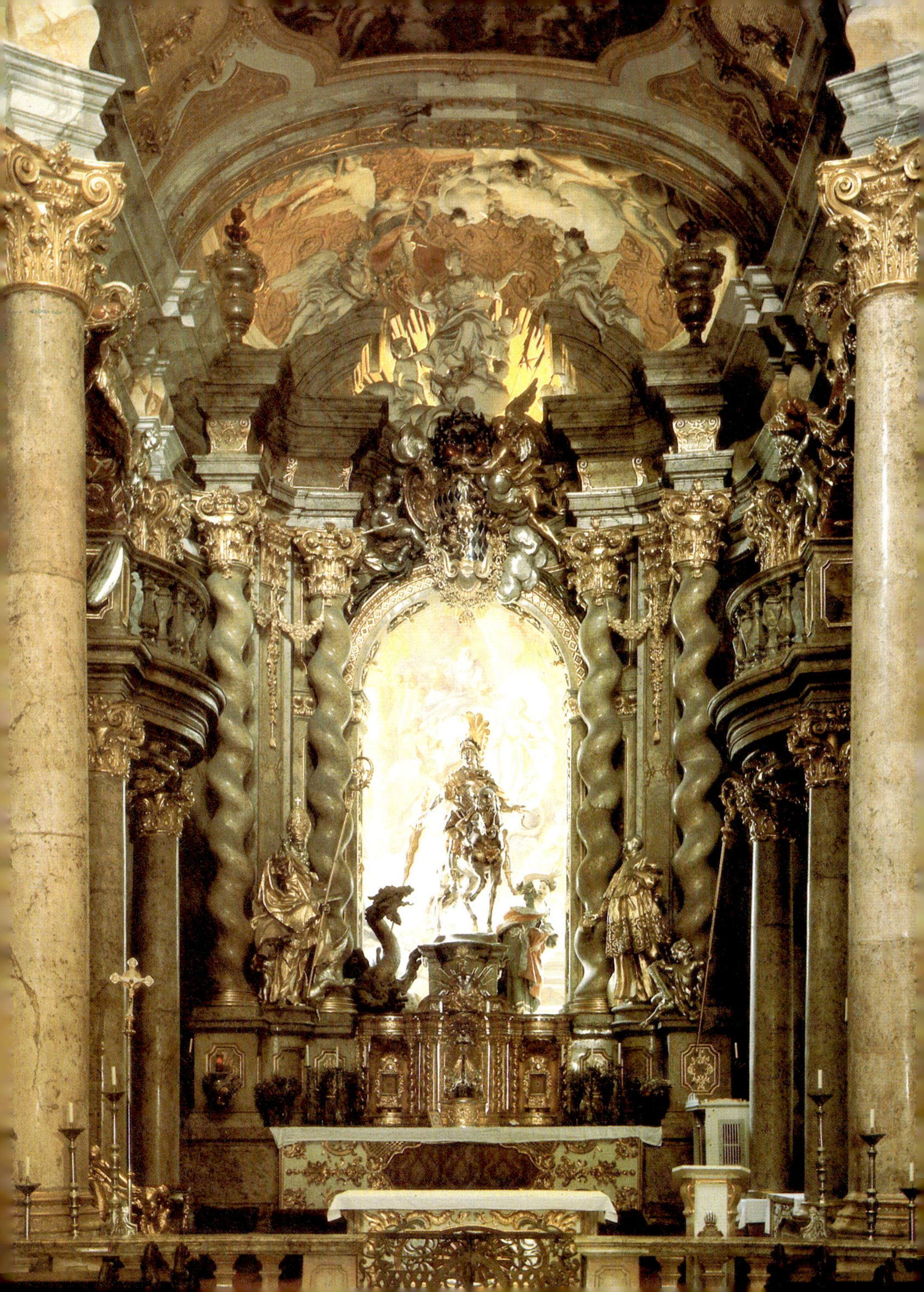

zur Himmelsburg, zur Weltenburg. Die anderen ergeben sich dem Laster und Heidentum. Ihr Ziel ist ein antiker Rundtempel, eine Anspielung auf den Minervatempel, den Vorgänger von Weltenburgs Marienkapelle. Benedikt tritt als plastische Figur auf dem Schalldeckel der Kanzel aus dem Gemälde heraus und weist auf den schwebenden Himmelstempel. Daß er dieselbe Form hat wie der Heidentempel, ist pikant, aber solche Verschiebungen der Ebenen waren dem barocken Betrachter geläufig. Dem Benedikt der Kanzel entspricht außen jener auf der Fassade.

Die wichtigsten Daten:

1714–1716	Errichtung der Klostertrakte um den Kreuzgang durch Maurermeister Caspar Ött aus Kelheim und Palier Michael Wolf aus Stadtamhof nach Plänen von Fr. Philipp Plank.
1718/19	Brauhaus an der Südseite des westlichen Gebäudekomplexes, zunächst nur zweigeschossig.
1721	Klosterstadel als Westtrakt des westlichen Gebäudekomplexes.
1724/25	Bau des westlichen Donautraktes durch den Vorarlberger Franz Beer von Blaichten.
1734	Aufstockung des Brauhauses.
1735	Kirchenportal von Veit Füller aus Kapfelberg.
1736	Gitter zwischen den Donautrakten, Pflasterung des Klosterhofs.
1763	Obergeschoß und Helm des Turms.
1957–1962	Renovierung des Außenbaus, seit 1960 des Kircheninneren.

Seit dem Beginn unseres Jahrhunderts verunstaltet ein Verbindungsgang zwischen den Donautrakten den Außenbau[27], der allerdings seine stärkste Beeinträchtigung durch die Verlagerung des Hauptzuganges auf den Landweg erfuhr. Heute betritt der Besucher das Kloster gewöhnlich durch den Hintereingang und kommt so um das Erlebnis der Schauseite der Kirche. Die außenbauliche Anpassung des westlichen Donautrakts an den östlichen Prälaturflügel macht deutlich, welchen Wert man auf die Ausrichtung zum Strom legte, denn innen beherbergte der Westtrakt einst recht unorganisch neben Gästezimmern und der Wohnung des Klosterrichters auch Stallungen und die Stampfmühle.

Die heutige Biergartenseligkeit unter dem Laubdach der – im barocken Sinne störenden – Kastanien macht die Konzentration auf eine wohl einzigartige Kirchenschauseite schwer, deren Komposition genau auf das Haupttor berechnet ist. Der Blick trifft auf eine weit genischte Mauer, gleitet zur Front der Kirche, steigt in deren Mittelachse auf und kommt beim Tambour zur Ruhe, ehe der Turm das asymmetrische Arrangement abschließt. Figuren bestätigen die Zusammengehörigkeit der Teile. Auf dem Mittelpfosten der Nischenbalustrade führt ein Schutzengel ein Kind zur Kirchenfront, auf deren Giebelspitze von Wolken getragen St. Benedikt erscheint und mit ausladender Geste auf den Tambour zeigt. So wird die Kirchenfassade als Himmelspforte erwiesen, woraus für die Nische unten und den Tambour oben Erd- und Himmelsbedeutung folgen. Mit dem eingeschwungenen Mansardendach wirkt der Tambour schwebend, und die Zwölfzahl seiner Fenster spielt auf die Tore des Himmlischen Jerusalem an. Das ikonologische Konzept des Inneren schlägt auf die Schauseite durch.

Das innere Oval stellt sich im Tambour als Körper und in der Nische als konkaves Fragment dar. Diese beiden Elemente ordnen sich der durch grauen Haustein herausgehobenen Kirchenfassade zu. In die dreiachsige Giebelfront mit korinthischen Kolossalpilastern tragen die drei Rundbogenfenster den Anklang an einen Triumphbogen. Das große Mittelfenster durchbricht das Gebälk ebenso wie der Chorbogen. Repräsentieren die Fenster außenbaulich die Tore des inneren Triumphbogens, so das Portal und die seitlichen Rechteckfenster die Trias der Altäre. Der aufmerksame Betrachter wird auf das Innere mit außerordentlicher Deutlichkeit vorbereitet, sofern er am Klostertor innehält; beim Heranschreiten zerfällt die Komposition.

Der ebenso großformatige wie aussageschwache, die Bezüge negierende Kupferstich von Weltenburg in dem 1726 posthum erschienenen vierten Teil von Michael Wenings Landesbeschreibung macht immerhin klar, daß ursprünglich eine Treppe zum Ufer der Donau und ein Fontänenbrunnen im Klosterhof geplant waren. Eine weitaus schönere Bleistiftzeichnung Weltenburgs, deren Durchführung in Tusche abgebrochen wurde, wird hier erstmals publiziert.[28] Vom Bestand unterscheidet sich die Darstellung des Blattes durch die festliche

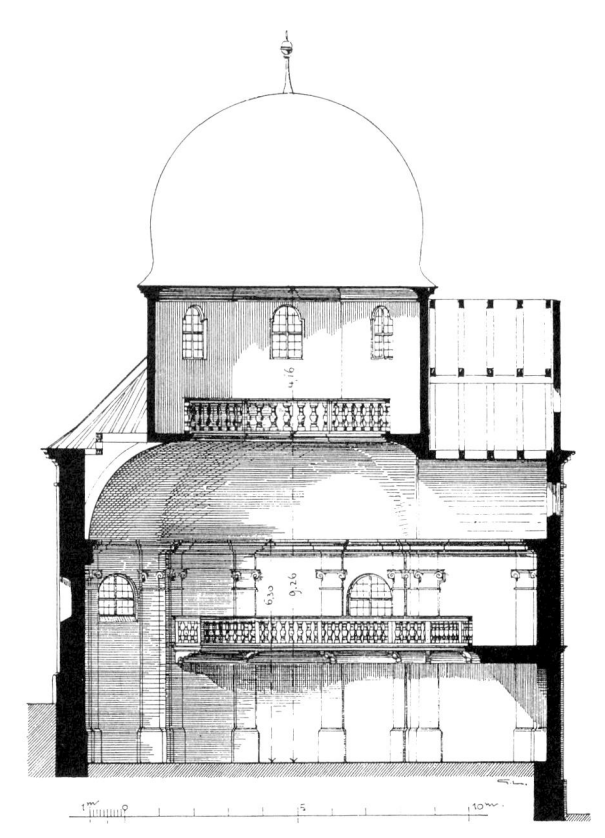

Frauenbründl vor Straubing, Längsschnitt der 1707 von Georg Asam freskierten Wallfahrtskirche

Gestaltung des Eingangs. Die weite Lücke zwischen den Donautrakten schließt – mehrfach geschwungen – Gitter oder Mauer. Zum hohen Tor führt eine kurze, gerundete Treppe mit Figurengruppen auf den Wangen. Durch Aufblendung von Mittelrisaliten sind die langen Trakte wenigstens etwas belebt. Die Fontäne im Hof entspringt einer Pferdeschwemme. Einiges – etwa die unterschiedliche Fensterrahmung der Donautrakte – könnte dafür sprechen, daß die unfertige Zeichnung eine konkrete Planung wiedergibt. Dann wäre sie vor 1721 anzusetzen, als der Bau des Klosterstadels die endgültige Position des westlichen Donautraktes präjudizierte. Vielleicht verhinderte Ungunst des Baugeländes ein weiteres Ausgreifen nach Westen. Das schlichte Eingangsgitter könnte ebenso für Resignation sprechen wie Nachlässigkeiten bei der Fertigstellung der Kirchenfassade – etwa die Bossen neben dem Mittelfenster. Die Anlehnung des Kirchenportals an die Portale der Bibliothek von St. Emmeram in Regensburg erklärt sich aus der dortigen Zusammenarbeit der Asams mit dem Linzer Baumeister Johann Michael Prunner.[29]

Die Verknüpfung der Kirchenschauseite mit der Klosteranlage läßt nur den Schluß zu, daß Cosmas Damian Asam die Position der westlichen Trakte bestimmte. Die Schauseite selbst steht in der Tradition jener römischen Kirchenfassaden, die plane Elemente mit konvexen und konkaven verbinden. Nächstes Vorbild ist Berninis S. Andrea al Quirinale, anregend insbesondere in Giovanni Battista Faldas Stich von 1667/69. Das ist bezeichnend: Asam schafft keine Architektur im traditionellen Sinn, sondern entwirft gleichsam einen Prospekt mit architektonischen Versatzstücken, der zu seiner Ausbalancierung die Bäume am Hang des Frauenberges einbezieht; er geht vor als Maler. Hierin besteht die Einzigartigkeit dieser Schauseite. Die größere Freiheit des Malers gestattet die Sprünge in Form und Material von der Kirchenfront zu Flügelmauer und Tambour, so daß deren Einbindung in die Kargheit des vorgegebenen Klosterbaus bestens gelingt. In Weltenburg waren die Bedingungen für eine auch im Habitus insgesamt erfreuliche Außengestaltung nicht gegeben; die Konzeption bleibt meisterlich und aufregend.

Die Analyse des Inneren dürfte ergeben haben, daß Cosmas Damian Asam auch hier die Architektur als Maler angeht, als Quadraturmaler. Das Motiv des Halbgewölbes übernimmt er dann auch verschiedentlich in seine Deckenfresken. Die Architektur wird nicht nur in höchstem Maße figurativ und damit selbst zum Bildinhalt, sondern sie wird von vornherein auf eine Stufe mit den Bildkünsten gestellt. Wählte Cosmas den durch Fischer von Erlach vorgeprägten Concetto, weil er sich für den Ovalraum mit Gewölbering eignete, oder umgekehrt? Kennen mußte er beides, um es verschmelzen zu können. Der Concetto dominiert, die Kunstgattung ist nebensächlich. Cosmas Damian Asam beherrscht alles – und für die Ausführung des Plastischen hatte er seinen begabten Bruder ausbilden lassen. Freie Architektur, formalistisch-unverbindliche, das Atmen erleichternde Raumschöpfung gibt es hier nicht. Gewiß ein Meisterwerk, ein Traum und ein Alptraum, eine theatralische Wunderhöhle und ein Meditationsobjekt, das im Aufblick einem Mandala ähnelt, ein gordischer Knoten. Cosmas durchschlug ihn, indem er derartiges nie wieder versuchte.

Cosmas erweist sich hier nicht als Raumschöpfer, als Baumeister. Seine Intention geht viel weiter. Was er jedoch baumeisterlich bietet, sollte andere inspirieren, wovon im Schlußkapitel zu handeln ist. Ohne hohes Architekturverständnis hätte er die Weltenburger Kirche nicht konzipieren können. Die von Ernst Götz festgestellten Proportionsverhältnisse zeugen von der Intensität, mit der dieser Mann jedes seiner Kunst dienliche Gebiet anging.

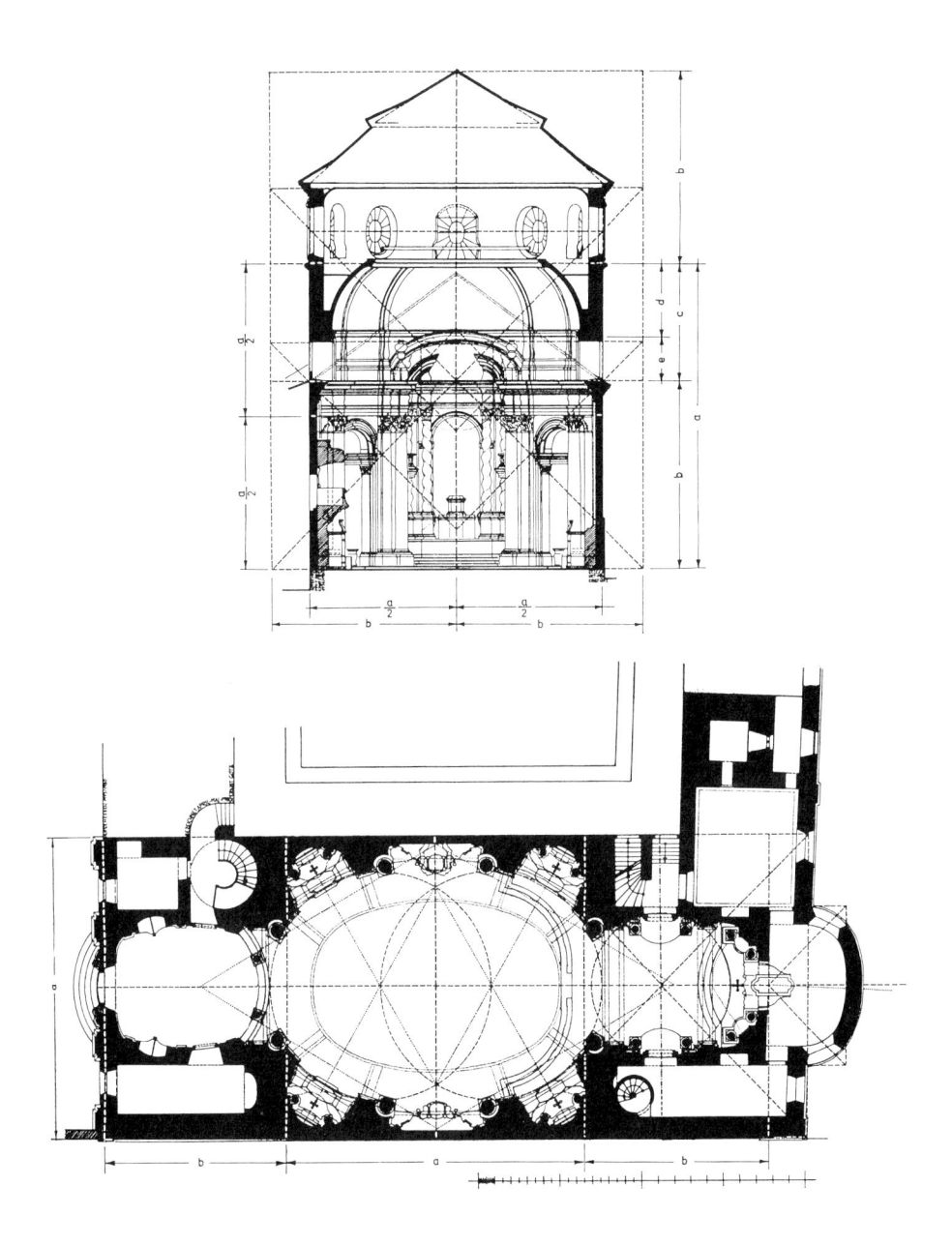

Weltenburg, Klosterkirche, Grundriß und Querschnitt, Proportionsstudien von Ernst Götz

Rohr, Stiftskirche, Inneres

Die Stiftskirche der Augustinerchorherren in Rohr

Nach 670jährigem Bestehen wurde das Augustinerchorherrenstift in Rohr 1803 von der Säkularisation betroffen und aufgelöst. 1946 bezog der vertriebene Konvent der nordostböhmischen Benediktinerabtei Braunau/Broumov die verbliebenen Gebäude und erfüllte die auf dem flachen niederbayerischen Land etwas abgelegene Kirche mit neuem Leben. Dies demonstriert die Macht der Kunstgeschichte: Die Benediktiner siedelten gleichsam von Cosmas Damian zu Egid Quirin Asam über. Denn um 1727 hatte Cosmas im Auftrag des Braunauer Abtes einen Saal im Kloster Prag-Břevnov und 1733 die Kirche der Propstei Wahlstatt in Schlesien freskiert. Die Rohrer Kirche aber ist das erste Meisterwerk Egid Quirin Asams.

1717	Grundsteinlegung zum Kirchenbau.
1718	Abbruch von Teilen der alten Kirche.
1720/21	Stuckierung.
1722	Weihe am 27. September.
1722/23	Hochaltar.
1723	Ornamentale Bemalung der Gewölbe.
1725/26	Meßstiftung Egid Quirin Asams.

Bietet Weltenburg mit dem Donaudurchbruch eine einzigartige Landschaftskulisse und mit seiner Kirche ein einzigartiges Kunstwerk, Erlebnisse, die sich in der Biergartenatmosphäre des Klosterhofs bei Asam-Doppelbock – auch ein Zeugnis für die Macht der Kunstgeschichte – anheimelnd verdauen lassen, so muß man in Rohr mit dem Erlebnis des Hochaltars zufrieden sein. Wegen der Kirchenarchitektur würde höchstens der Spezialist pflichtschuldigst den Ort aufsuchen. Der Hochaltar ist allerdings auch ein einzigartiges Werk und dominiert den Kirchenraum völlig.[30]

Behalten wir im Auge, daß Egid gelernter Bildhauer war und die Sparten Stukkatur und Altarbau zu seinem ureigensten Arbeitsbereich gehörten, nehmen wir ferner die Dominanz des Hochaltars ernst und berücksichtigen wir zu erschließende Vorgaben an Altbestand, so wird die Wahl des Bautyps wie auch die besondere Art seiner Durchführung und Ausschmückung voll verständlich. Dies sei betont, da die Kirche von Rohr den flüchtigen Betrachter dazu verleiten könnte, sie als Maurermeister-Architektur mißzuverstehen – als eine Architektur, die für sich selbst bestehen will und die Ausstattung erst in einem zweiten Akt empfangen hat. Als solche wäre sie gewiß weitgehend mißlungen. Denn einerseits würde der im Frühbarock Roms geprägte, nach 1715 für Süddeutschland überholte Typus der Kreuzbasilika über der Vierung die Aufgipfelung in eine lichte Tambourkuppel verlangen, und andererseits fehlen wirksame Zugeständnisse an die zeitüblichen Tendenzen der Raumvereinheitlichung wie der kulissenhaften Altarstaffelung. Das Ausmaß der Mangelhaftigkeit widerlegt die Berechtigung einer solchen Betrachtungsweise, zumal die andere Einstellung, die in diesem Kirchenbau eine zwar architekturgeschichtlich nicht voraussetzungslose, in der Durchbildung jedoch vom Hochaltar abhängige Größe erblickt, völlig befriedigt.

Die Disposition des insgesamt 52 m langen Raumes ist auf den Rissen und Photographien gut zu überschauen. Das basilikale Langhaus wird nach dem Vorjoch mit der Orgelempore von drei quergerichteten Kapellen gesäumt. Die Vierung ist – worüber die im Grundriß eingezeichneten Altarstufen täuschen könnten – annähernd quadratisch. Die Ausladung der Querarme zu beschreiben, erfordert Fingerspitzengefühl. Mit gekehlten Pilastern und entsprechendem Gurt springen sie nur knapp – um Mauerstärke – über die Innenflucht der Abseitenmauern aus, doch schließen sich seichte Kompartimente für die räumlich entfalteten Aufbauten der Querhausaltäre an. Den Chor von der Breite des Mittelschiffs leitet ein fensterloses kurzes Joch ein. Dem Chorgestühl schafft ein tieferes Joch Platz, während die gestelzte Halbkreisapsis ganz vom Hochaltar ausgefüllt wird.

Eingedeckt ist der Raum durch Tonnengewölbe, leicht segmentbogig in den Kapellen, durch eine niedrige Attikazone angehoben in den Hochräumen. Die Stichkappen über den Fenstern steigen nur wenig an. Sonderbarerweise ist auch die Vierungswölbung aus der Tonne entwickelt, ohne sich mit den seitlichen Kappen zum Kreuzgewölbe zu klären. Vielmehr ist durch eine Ausrundung der Ecken zwischen Wölbschalen und Vierungsbögen eine Annäherung an die Wirkung einer Hängekuppel erstrebt.[31] Die in Form und Konstruktion vom Augenschein her schwer zu beurteilende Vierungswölbung regt die Frage an, ob hier der ausführende Maurermeister ungeschickt vorgegangen ist, oder ob der Entwerfer mit dem Gedanken gespielt hat, die Zentralität der Vierung über den Verzicht auf eine Tambourkuppel hinaus zu schwächen. Möglicherweise haben wir es mit einem unausgegorenen Gedanken zu tun, dessen anschauliche Unwirksamkeit erst während des Stuckierens einigermaßen korrigiert wurde. Der Aspekt der Unausgegorenheit wird uns bei der Betrachtung der Gewölbedekoration nochmals beschäftigen, wobei sich zeigen soll, daß er nicht nur negativ zu werten ist, sondern auch Einblick in den Schöpfungsvorgang vermitteln kann.

Die Architektur der Rohrer Stiftskirche ist so traditionsverhaftet, daß man die neuartige Interpretation des gewählten Typus leicht übersieht. Um die asamschen Züge klar herauszuarbeiten zu können und von vornherein das Argument zu widerlegen, baulicher Altbestand hätte dem Entwerfer enge Fesseln angelegt und die Wahl des Bautypus erzwungen, soll zunächst das Verhältnis zwischen mittelalterlichem und barockem Bau eruiert werden. Da das Mauerwerk innen wie außen durch eine geschlossene Putzschicht verdeckt und der mittelalterliche Bau noch nicht durch eine Grabung untersucht worden ist, sind wir auf Folgerungen aus dem Grundriß und auf Analogieschluß angewiesen. Bietet dieses Verfahren auch keine hundertprozentige Gewißheit, so dürfte es doch für unsere Belange ausreichend sein.

Die mittelalterliche Kirche war eine romanische Basilika des 12. Jahrhunderts, welche seit 1438 gotisiert, gewölbt und mit einem neuen polygonal geschlossenen Chor versehen wurde. Nach Spuren dieser Anlage ist der Grundriß der barocken Kirche zu befragen. Offenbar handelt es sich bei den Seitenmauern des Langhauses wie auch bei den ausspringenden Mauerpartien des südlichen Querarms und der Stirnwand des Nordarms um Altbestand. Diese Mauerzüge lassen sich problemlos zu einem geläufigen romanischen Typus ergänzen: quadratische Vierung mit quadratischen Querarmen, Breite des Mittelschiffs entsprechend, jene der Seitenschiffe halb so groß. Wenn Michael Wening in diesem Punkt genau ist, schob sich zwischen Westfassade und Turmostwand eine niedrige Vorhalle. Demnach hätte das romanische Laienschiff die Länge von vier Seitenschiffsjochen umfaßt.

42

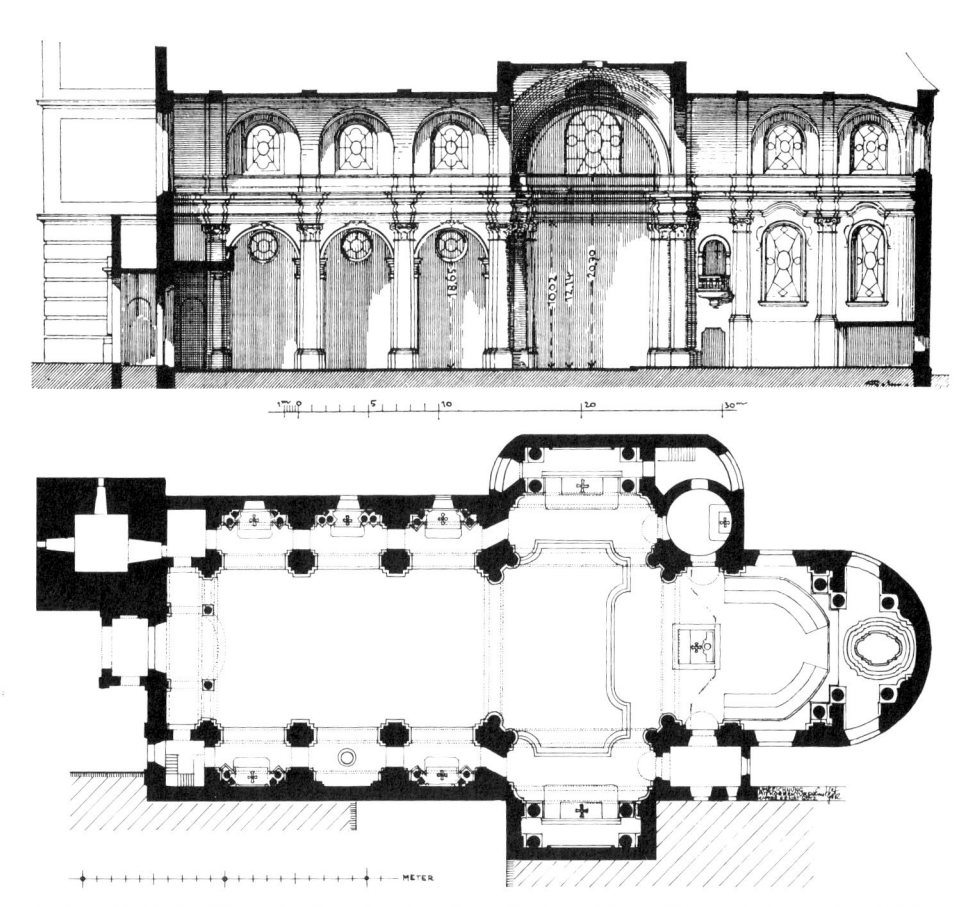

Rohr, Stiftskirche, Längsschnitt aus dem Inventar Rottenburg, Grundriß überarbeitet von Ernst Götz

Wenden wir die Blickrichtung: Der Entwerfer des Barockbaus hat innerhalb des gegebenen Rahmens die Hochräume von Lang- und Querhaus um etwa zweifache Mauerstärke geweitet und den Chor neu geformt. Die Querarme hat er verkürzt bzw. in Kompartimente unterschiedlicher Wertigkeit zerlegt. Auf der Westseite des Nordquerarms überbrückt eine stichbogige Mauer die Differenz der verschieden breiten Raumteile. Die Biegung ist auf der Ostseite wiederholt, wo eine Verlängerung der Stirnmauer einem Oratorium Raum schafft, unter dem eine Rundkapelle und ein Treppenhaus angeordnet sind. Die grundrißliche Symmetrie der Querarmummantelung kommt außenbaulich nicht zum Tragen, da die westliche Rundung bis zum Dachgesims reicht, während die östliche die Höhe der Seitenschiffe nur wenig übersteigt. Die Fenster der gerundeten Abschnitte dienen der Kulissenbeleuchtung des Altaraufbaus. Auf eine solche ist beim Südarm wegen anstoßender Stiftsgebäude ver-

43

zichtet worden. Hier ist das Oratorium im Winkel zwischen Chor und Querarm durch einen geräumigen Stiegenzugang ausgezeichnet.

Entwürfe zum Umbau der mittelalterlichen Stiftskirchen Wilhering in Ober- und Herzogenburg in Niederösterreich sind für Rohr in zweifacher Hinsicht aufschlußreich. Die Grundrisse von Johann Haslinger, um 1735, und Joseph Munggenast, um 1740, auf denen Altbestand und neu Geplantes unterschieden sind, zeigen ein ganz ähnliches Verhältnis beider Komponenten.[32] Zum anderen demonstrieren sie, daß die vorhandenen Mauerzüge der alten Basilika in Rohr keineswegs eine barocke Basilika bedingt hätten. Wenn diese Entwürfe auch eine spätere Stilstufe verraten, so hätte Egid Quirin Asam eine Wandpfeilerkirche wählen können – um nur einen der damals geläufigsten Typen zu nennen. Auch ein Anschluß an das Weltenburger Oval wäre möglich gewesen.

Die barocke Kreuzbasilika hatte in der 1568 begonnenen Mutterkirche der Jesuiten in Rom – Il Gesù – durch Giacomo da Vignola ihre für lange Zeit vorbildliche Ausprägung erfahren. Eine römische Variante, San Andrea della Valle, die 1591 in Angriff genommene Mutterkirche des Theatinerordens, war 1663 Ausgangsbau der Münchener Theatinerkirche St. Kajetan gewesen, in welcher der Bologneser Architekt Agostino Barelli den Typus gleichsam gotisch-deutsch vertikalisiert hatte. Oder soll man sagen, daß in diesem Bau die hochfahrende Art der Kurfürstin Adelaide, einer piemontesischen Prinzessin, architektonischen Ausdruck erhalten hatte – eine hochfahrende Art, die Kurfürst Max Emanuel, zu dessen Geburt die Kirche gelobt worden war, später zu europäischer Berühmtheit bringen sollte? Eine solche Abschweifung vom faktischen Bestand macht den Blick frei für die Vision, die der Konkretisierung eines Kunstwerks vorausgeht. Auch die Kirche von Rohr hat etwas Hochfahrendes, wenn auch gewiß nicht in der Architektur. Zunächst aber sei festgehalten, daß Egid Quirin Asam die römischen Beispiele zwar höchstwahrscheinlich kannte, daß ihm die Münchener Theatinerkirche, in der sein Lehrmeister Andreas Faistenberger die Kanzel geschaffen hatte, jedoch geläufig war. Welche Vorteile konnte er sich von der Wahl dieses Typus versprechen?

Setzen wir die angestrebte Dominanz des Hochaltars voraus, so bietet die Kreuzbasilika den Vorzug, eine größere Anzahl von Nebenaltären aufstellen und sie zugleich für den Längsblick ausschalten zu können. In der Vierung stellt sich der Hochaltar zwar als Glied einer Dreiergruppe von Altären dar, doch hat der Betrachter beim Durchschreiten des Mittelschiffs bereits einen so starken Eindruck des Hochaltars empfangen, daß ihm die Querhausaltäre nur als dessen Trabanten, als Lockerung und ausstrahlende Macht des Zentrums erscheinen. Soll aber der Hochaltar als Zentrum inszeniert werden, so muß das räumliche Zentrum der Vierung geschwächt und insbesondere auf das hohe Lichtgehäuse einer Tambourkuppel verzichtet werden. Selbst die Ausstattung der Vierung mit Säulen erhält einen etwas anderen als den traditionellen Sinn.

Die Instrumentierung der Raumschale mit Säulenordnungen sei erst jetzt nachgetragen, nachdem der angemessene Standpunkt für die Bewertung ihrer Ausprägung gewonnen ist. Hinterlegte Pilaster steigern sich in der Vierung zu Halbsäulen. Diese verkürzen die Erstreckung des Chors und ziehen den Hochaltar optisch vor; zugleich bereiten sie auf dessen Säulenaufbau vor – wie auch auf jenen der Querhausaltäre. Die kleinteilig streifige Auslegung des Gebälks, die bei isolierter Betrachtung kaum als schön empfunden werden könnte, hat ihre Berechtigung als ein zum Blickzentrum drängendes Element, das an die dichten Scharen von Projektionslinien in Pozzos Traktat erinnert. Der Sprung von der kompositen oder römischen Ordnung in den Hochräumen zur toskanischen in den Kapellen entspricht der barocken Vorliebe für scharfe Kontraste, der Verzicht auf eine Frieszone bei der niedrigeren Ordnung folgt jedoch dem Hang zur Angleichung, werden doch auch bei der großen Ordnung Architrav, Fries und Gesims zu einer rhythmisierten Gesamtheit gebündelt.

Die komposite Ordnung wird von den drei großen Altären aufgenommen. Da ihre Säulengehäuse von hohen Sockeln angehoben, mit der Oberkante ihrer Gebälke jedoch auf die Gliederung der Raumschale abgestimmt sind, verringert sich die Höhenerstreckung der einzelnen Glieder ordnungsgemäß. Während das Profil des Gebälks – von einer leichten Akzentuierung der einzelnen Lagen abgesehen – beibehalten ist, sind die Altarkapitelle gegenüber jenen von Querhaus und Schiff mit ihren typisch asamisch nach innen eingerollten Voluten klassischer Prägung angenähert: Die Protagonisten demonstrieren ihre Würde in traditionelleren Formen. An den Querhausaltären läßt sich die Differenzierung unmittelbar als Sprung beobachten. Für den dominanten Hochaltar ist die Differenz dagegen weitgehend verschleiert, da die vertikal reduzierte Ordnung des Altars – einschließlich der konventionelleren Formung der Kapitelle – wie in Pozzos Altarentwurf für Il Gesù (Bd. II, Fig. 73 f.) auf die Gliederung des Chors übergreift. Die unverändert durchziehende niedrige Attika bindet in vermittelndem Gleichmut die Teile.

Die beiden Aussagen, daß einerseits der Hochaltar die Ordnung der Raumarchitektur variiert aufnimmt, er andererseits seine Ausprägung auf den Chor überträgt, wollen wir nicht unter dem Gesichtspunkt der Angleichung verschwimmen lassen. Zunächst ist die Wahl der kompositen Ordnung als der ornamental anspruchsvollsten für die Barockzeit nicht auffällig. Bemerkenswert ist allein die spezielle Ausgestaltung. Die Profilierung des Frieses stellt – anders als in Weltenburg – keine Regung des Aufstemmens dar. Der Eindruck der Schwere, der Erdenschwere, verbindet sich mit der Rotmarmorierung des Hochaltars, wenn seine ins Violette spielende Farbigkeit auch als Auszeichnung und Hervorhebung zu verstehen ist.

Auf einer drei Meter hohen Bühne entfaltet sich der Aufbau des Hochaltars zu knapp sieben Metern Tiefe. Der Aktionsraum der überlebensgroßen Stuckfiguren wird von den seitlichen Fenstern beleuchtet, die durch die vorderen, kulissenartig einspringenden Säulenstellungen verdeckt werden. Pilaster bzw. Pfeiler binden den Säulenaufbau mit der Wand, Gebälk und Attika fassen die vordere Kulisse und den abschließenden Bühnenprospekt zusammen. Eine Staffelung beider Säulenstellungen dient der Einschmiegung des Schaugerüsts in die Apsis. Dem ganzen Gebilde ist die Vorstellung des Triumphbogens oder der Ehrenpforte zugrunde gelegt: Die vordere Säulenstellung verweist auf diesen Zusammenhang mit Giebelfragmenten, während die rückwärtige ihn konkretisiert mit aufgebogenem Architrav und Segmentgiebel, dessen kassettierte Schale gegen das runde Glorienfenster aufgebrochen ist. Mehr noch als dieses „Loch" im Giebel demonstriert der von Engeln gehaltene goldene Kronreif, der anschaulich als etwas anderes von der Altararchitektur abgesetzt ist, daß diese das Emporsteigen zwar geschehen läßt – ohne die Figuren und die Erscheinung der Dreifaltigkeit über der Ehrenpforte wäre der Altar unvollständig –, daß sie, die Altararchitektur, die Elevation der Gottesmutter aber kontrastiert. Denn sie ist kompakt – wenn nicht erdenschwer, so doch architekturschwer.

Das Thema des Altars ist die Himmelfahrt Mariä gemäß dem Patrozinium der Kirche. In unserem Zusammenhang brauchen wir nicht zurückzuverfolgen, wie sich dieses Thema im frühen 16. Jahrhundert gegenüber der Marienkrönung, die sich ja auch in Rohr ankündigt, verselbständigt hat – Riemenschneiders Creglinger Altar oder Tizians „Assunta" in der Franziskanerkirche Venedigs – und welche zwei- oder dreidimensionalen Ausgestaltungen es in der Zeit vor den Asams erfuhr. In der Barockzeit ist dieses Thema eines der beliebtesten. Die überaus anspruchsvolle Vergegenwärtigung des wunderbaren Geschehens läßt vermuten, daß Egid Quirin Asam in Rom einen tiefen Eindruck vom Altar der Cornaro-Kapelle in Santa Maria della Vittoria empfangen hat. Hier hat Bernini die Verzückung der heiligen Therese überwältigend dargestellt und den Kontrast der Figurengruppe aus weißem Marmor zu der schweren, dunklen Altararchitektur effektvoll genutzt. Geist und Intensität von Berninis Meisterwerk scheinen in Rohr nach sieben Jahrzehnten neu belebt. Der Bezug zu Bernini wird durch die Marienfigur verstärkt, deren Haltung jener der Andreasfigur über der Altarädikula von San Andrea al Quirinale entspricht. Damit wäre also auch im Bedeutungszentrum der Rohrer Kirche ein Rückgriff auf jenes Spätwerk des großen Römers gegeben, das für die Kirche von Weltenburg so anregend war. Die Herkunft des Glorienfensters von Berninis Cattedra Petri im Petersdom ist ohnehin klar.

Während Bernini jedoch in der Cornaro-Kapelle wie in San Andrea al Quirinale die jeweils streng geformte Altarädikula unmittelbar aus der Architektur der Raumschale entwickelt, wirkt der Rohrer Hochaltar – schon wegen der unterschiedlichen Materialität – zunächst wie in den Raum hineingestellt. Bernini bietet nur das eine Vorbild, das andere entscheidende ist das „Theatrum sacrum", das „Heilige Theater", von dem Pozzo aufwendige Beispiele publiziert hat. Derartige Schaugerüste zur Veranschaulichung von Passionsszenen wurden damals auch in den großen Münchener Kirchen während der Karwoche errichtet. In der Theatinerkirche gab es ein „Theatrum" mit der Opferung Isaaks – alttestamentarisches Vorbild für den Opfertod des Gottessohnes –, dessen Figuren Andreas Faistenberger geschaffen hatte.

Bei der Konzeption des Rohrer Kirchenraums und seines Hochaltars hatte Egid Quirin Asam eine dreifache Grundlage: eine heimische – Theatinerkirche, eine literarische, in Rom werk-konkret überprüfbare – Pozzo – und eine kurzerlebt-visionäre – Bernini. Den Münchener Ableger des römischen Kirchenbarocks wird der Bildhauerlehrling eingehend studiert, die Meisterwerke Berninis dürften seine tiefsten Schichten erreicht haben. Pozzo bot ihm eine Fülle an Vorbildern und machte das Inszenierungstalent geschmeidig. Der jüngere Asam, der nur relativ kurz in Rom gewesen sein dürfte, erreicht in Rohr kein hermetisch geschlossenes Werk wie Cosmas in Weltenburg, was ihm dann freilich auch die Möglichkeit geben sollte, das Werk des Bruders weiterzuentwickeln: Für St. Johann Nepomuk in München ist Rohr ebenso Voraussetzung wie Weltenburg.

Egid Quirin stellt in einen von der Münchener Theatinerkirche abgeleiteten Raum als Hochaltar ein „Theatrum sacrum" pozzesker Art und erfüllt dieses mit Gestalten berninesken Charakters. Mit dieser Formel ist bereits das Wertgefüge des gesamten Gebildes angedeutet: Der „Assunta" sind alle anderen Elemente in feinen Abstufungen subordiniert bis hin zur Architektur des Raumes; diese ist das unselbständigste, das am stärksten dienende

Rohr, Stiftskirche, südlicher Querarm

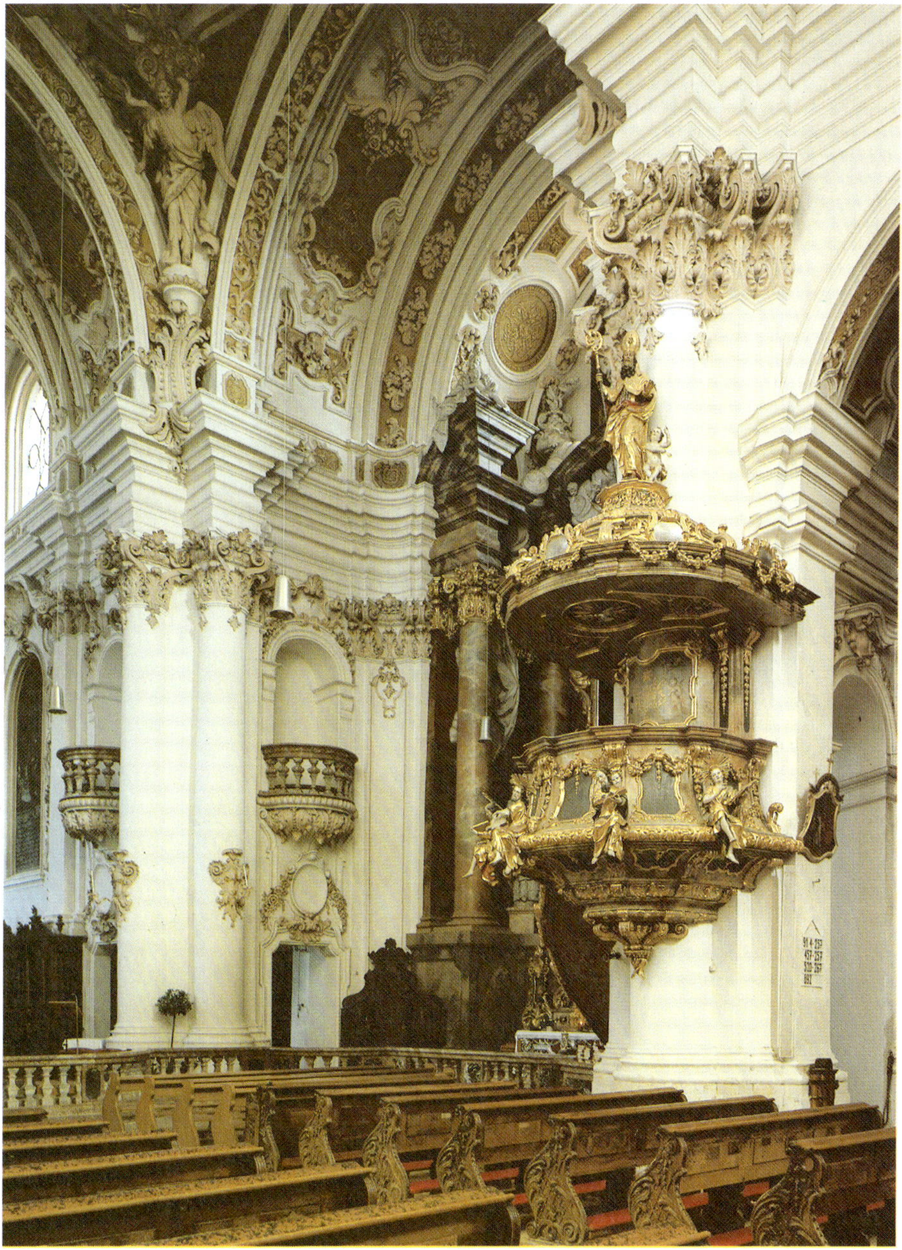

Element. Wenn man den Innenraum der Rohrer Kirche als Bildhauerarchitektur bezeichnet und damit auf das Arbeiten mit plastischen Formen, wie Säulen, abgezielt hat, so ist dies durchaus irreführend, denn Maurerarchitekten bieten oft stärkere Plastizität, auch der Malerarchitekt Cosmas Damian Asam zieht in Weltenburg volltönendere Register. Dagegen hat die Rede von Bildhauerarchitektur hier vollen Sinn, wenn sie besagen soll, daß die Architektur auf die Wirkung des zentralen Bildwerks abgestimmt ist.

Einige Beobachtungen mögen unterstreichen, wie sehr das Engagement Egids in den Altarfiguren und besonders in der auffahrenden Maria kulminierte. Der blaue Vorhang hinter dieser ist an sich nicht das geeignete Motiv für die Mitte eines Theateraufbaus. Abgesehen von dem aufgemalten kurbayerischen Wappen, das Maria als „Patrona Bavariae" kennzeichnet, ist er jedoch als kontrastierendes Hängemotiv wirkungsvoll. Das Figurenensemble hat neben der frontalen eine zweite Ansicht, die auf das rechte, für den Landesherrn bestimme Oratorium ausgerichtet ist. Dieser Blickpunkt läßt der Figurengruppe zwar ihre primäre Bedeutung, gibt ihr aber auch einen weiteren, einen höfischen Aspekt: Die Gestalten huldigen dem Fürsten. Ein Kontrollblick vom linken Oratorium kommt zu keinem adäquaten Ergebnis. Nur für das Fürstenoratorium wahrt die Gruppe kompositionellen Zusammenhalt, löst sich allerdings merklich aus der Rahmenarchitektur; sie erscheint in dieser offenkundig berechneten Sekundäransicht kompositionsstabiler als der Altaraufbau.

Die Gruppe der Maria und der beiden sie emportragenden Engel wird von drei Eisenstäben in einiger Entfernung vor dem Hintergrund gehalten, so daß sich für den Betrachter beim Heranschreiten der Eindruck tatsächlichen Aufschwebens gegenüber der Altararchitektur einstellt. Dieser theatralische Bewegungseffekt wurde ursprünglich durch ein jetzt entferntes Requisit erheblich gesteigert. Der Zelebrationsaltar wurde durch eine zweifach abgewinkelte Holzschranke von der Höhe des Tabernakels bzw. des Chorsockels eingebunden, die im Grundriß eingetragen ist.[33] Seitlich der Mensa führten rundbogige Durchgänge in den Stiftschor, der durch diese Schranke, die weniger kompakt war als ein mittelalterlicher Lettner, aber dichter als die zeitüblichen schmiedeeisernen Chorgitter, dem direkten Einblick entzogen wurde. Ein unmittelbares Gegenüber der Laien im Schiff und der Chorherren in dem apsidial eingeschwungenen Gestühl wäre höchst unschicklich gewesen. Die Schranke, für welche die Theatinerkirche ein – im Zweiten Weltkrieg untergegangenes – Vorbild bot, vervollständigte die Angleichung des Chorraums an den Bühnenbereich eines Theaters. Sie entsprach der Vorderfront des Orchestergrabens, wie die seitlichen Oratorien den Proszeniumslogen und der Hochaltaraufbau der Bühne entsprechen. Die Stiftsherren in ihren hellen Gewändern hätten die Szene auch keineswegs erweitert, sondern stark beeinträchtigt. Unter kunstgeschichtlichem Blickwinkel wäre es wünschenswert, diese noch vorhandene Chorschranke wieder aufzurichten, denn sie war auch ein wesentliches Mittel zur Illusionierung des Geschehens. Beim Näherkommen überschnitt sie immer stärker die Fußpunkte der Altarsäulen, so daß diese versanken, während die Mariengruppe aufschwebte. Gewiß wurden dabei auch die Apostelfiguren teilweise verdeckt, doch diente diese Verunklärung nur der Intensivierung des Wunders. Dem Laien sollte nicht – wie dem Benutzer der Oratorien – ein möglichst vollständiger Blick auf das Figurenensemble gewährt, sondern bei voller Konzentration auf die „Assunta" die höchste Suggestion geboten werden.

Rohr, Stiftskirche, Inneres nach Westen

Rom, Sa. Maria della Vittoria, Cornaro-Kapelle mit der Verzückung der hl. Therese, Giov. Lorenzo Bernini, um 1646

Der Exkurs dürfte endgültig bestätigt haben, daß es voll berechtigt ist, die Ausprägung aller Teile des Innenraums in Abhängigkeit von der zentralen Figurengruppe zu sehen: Ihr zuliebe verzichtet die Altararchitektur auf die von den Asams so geliebten gewundenen Säulen; ihr zuliebe ist der Fries des Gebälks hängend und nicht steigend profiliert; ihr zuliebe ist die lastende Profilierung des Gebälks von der Altar- auf die Raumarchitektur übertragen. Die Angleichung der Pilaster im Chor an die Säulenordnung des Altars dient der Vereinheitlichung des gesamten – einst abgeschrankten – Bühnenraums. Die verbleibenden Brüche zwischen Marmor- und Putzarchitektur einerseits, zwischen der Ordnung des Chors und jener der übrigen Hochräume andererseits werden Egid Quirin Asam den Ansatz liefern, die Raumarchitektur nicht nur auf die Altararchitektur abzustimmen, sondern jene aus dieser unmittelbar zu entwickeln, wie dies Herbert Brunner eindringlich herausgearbeitet hat. Als partieller Vorgriff auf diese Entwicklung erscheint in Rohr das Westfenster mit seinen marmorierten und vergoldeten Gliedern. Wie die Fenster im Auszug der Querhausaltäre ordnet es sich – gleichsam als Ausstattungsstück – dem Orgelprospekt zu. Neben der Absicht, die Rückwand dem Gepränge von Apsis und Querhausstirnen zu nähern, dürfte der symbolische Aspekt eine Rolle gespielt haben, durch das auffällige Fenster auf die Zugehörigkeit des Stifts zur „Lateranensischen Kongregation" hinzuweisen. Denn das Motiv der eingestellten Freisäulen ist vom Fenster in der Eingangswand der Lateransbasilika übernommen, deren Schiff Francesco Borromini zum Heiligen Jahr 1650 umgebaut hatte.

Das „lateranensische" Fenster setzt sich als eine über ihren formalen Bestand hinausweisende Figur von der Raumarchitektur ab und macht so auf einen entscheidenden Unterschied derselben von jener der Münchener Theatinerkirche aufmerksam. Die Theatinerkirche kann man als eine figurative Architektur bezeichnen, deren Einzelkompartimente in sich geschlossene Figuren bilden, die mehr oder weniger auf bekannte, bedeutungsträchtige Typen verweisen: Die Langhauswand ist mit den Gehalten eines Triumphbogens aufgeladen, die Kapellen sind vollwertige Kuppelräume, die sie verbindenden Durchgänge werden von aufwendigen, den Altären ähnlichen Portalrahmungen umfaßt usw. In Rohr ist die figurative Komponente weit herabgemindert, fast ausgeschieden, der Konzentration auf die riesige Figur des Hochaltars, die sich zu der Figur eines kompletten Bühnenbereichs erweitert, geopfert. Die übrigen Figuren – Querhausaltäre und Westfenster mit Orgel – sind Ausstattungsstücke und dem Hochaltar als Trabanten zugeordnet. Diese Differenz der Rohrer Stiftskirche zur Münchener Theatinerkirche wird deshalb so betont, weil Cosmas Damian Asam unmittelbar zuvor in Weltenburg das Figurative aufs höchste gesteigert und die Realarchitektur mit der Illusionsarchitektur des Deckenbildes auf eine Ebene gestellt hatte.

In Rohr fehlen Deckenfresken, obwohl Bildfelder durch Stuckrahmen ausgegrenzt sind. Die Frage, ob der Raum in seinem gegenwärtigen Zustand vollendet ist oder nicht, wurde unterschiedlich beantwortet. Die Rahmen lassen sich gut mit jenen der Zisterzienserkirche in Aldersbach vergleichen, deren Ausstattung in die Zeit der Ausführung der Rohrer Kirche fällt, und erweisen sich dabei als eindeutige Einfassungen von Fresken. Auch die über die Rahmen quellenden Wolken mit den Puttenköpfchen belegen die Absicht einer Freskierung. Warum unterblieb sie? Eine einseitig soziologisch ausgerichtete Kunstgeschichte würde praktische Gründe anführen: Dem Stift ging das Geld aus, oder Cosmas Damian wurde durch zahlreiche Aufträge an anderen Orten an der Ausführung gehindert. Solche

Schwierigkeiten können bestanden haben. Sie hätten jedoch nicht den endgültigen Verzicht begründet, sondern sich nur als Engpaß und Verzögerung ausgewirkt, wie das an vielen Orten vorkam. Die Auszierung der ursprünglichen Malfelder mit Inschriften und exquisiten Ornamenten ist keineswegs als Zwischenlösung anzusehen, denn es gehörte zu den Gepflogenheiten der Bauherren, zu schließende Leerstellen kenntlich zu lassen, um die Spendenfreudigkeit der Besucher anzustacheln. Der entscheidende Grund für den Verzicht auf Deckengemälde ist im Willen Egid Quirin Asams zu suchen, der seine ungewöhnlichen künstlerischen Absichten der Bauherrschaft einsichtig zu machen verstand. Er erkannte ziemlich spät, daß seine ursprüngliche Planung zu sehr am gängigen Standard orientiert war: Gewölbefresken hätten den Blick des Betrachters nach oben, in himmlische Fernen gerissen und die Wirkung der Mariengruppe empfindlich relativiert. Die Stuckgruppe der Apotheose des Ordensgründers St. Augustinus am Chorbogen belegt die späte Einsicht und Konzeptänderung Egid Quirins, nimmt sie doch das im Vierungsfresko zu erwartende Thema auf. Wenn die aus dem beigegebenen Chronogramm zu addierende Jahreszahl 1721 lautet, hat dies angesichts der Schwierigkeit solcher barocker Spielereien nicht allzu viel zu bedeuten; es kann sich durchaus um eine nachträgliche Zufügung ein, zwei Jahre später handeln. Im Fresko hätte die Apotheose eine andere Position und Wertigkeit erhalten, als Stuckgruppe ist sie nur Vorschau oder Nachklang der Himmelfahrt Mariens, deren Trabant. Die ornamentale Füllung der ursprünglichen Freskenfelder vermittelt höfische Atmosphäre und macht auch so die gesamte Kirche zum Wirkungsraum Mariens, die im Zentrum als Prinzessin erscheint. Vergleichbaren Ornamentglanz wird Egid Quirin wenig später in den Emporenräumen des Freisinger Doms auf kleineren Flächen ausbreiten. Gewiß bleibt infolge der Konzeptionsänderung ein unaufgelöster Rest, aber der Mut des blutjungen Künstlers, das Unausgegorene der ursprünglichen Planung an einem so großen Werk weiter gären zu lassen, ist bewundernswert.

Die Änderung des Ausstattungskonzepts verstärkt und verdeutlicht in Rohr Tendenzen der gebauten Architektur, die wir nochmals ins Auge fassen wollen. Die drei Kapellenjoche des Laienschiffs lassen eine gewisse quaderartige Beständigkeit zart spürbar werden, denn ihre Tiefe entspricht der Gesamtbreite des Kirchenraums und der Höhe des Mittelschiffs. Diese Beständigkeit kam freilich stärker zur Geltung, als die mittlere der südlichen Kapellen noch einen Zugang von den einstigen Stiftsgebäuden aufwies. So wurde der Blick auf die gegenüberliegende Wand gelenkt, deren Zusammenhang durch die mittige Steigerung der Altarausstattung betont wird. Im Längsblick überwiegt das vorwärtsleitende Gebälk. Die quadratische, durch Säulen ausgezeichnete Vierung könnte ein vertikaler Ruhepunkt sein, doch saugt ihre Wölbung den Blick an, um ihn, da sie dunkel ist, alsbald zur lichten Chorwölbung entgleiten zu lassen. Das fensterlose Eingangsjoch des Chors wirkt so als erste Stufe der Aufhellung. Erschreckt die Weltenburger Kirche im ersten Eindruck durch allzu grelle Theatereffekte, so läßt die Rohrer leicht vergessen, wieviel die Kirchenarchitektur und die dezentere Lichtregie zur Inszenierung des Hochaltars beitragen. In diesem Sinne ist auch die Kirchenarchitektur ein Meisterwerk.

An eine imposante Außenarchitektur war in Rohr nicht zu denken, denn der romanische Turm verdeckt die Westfassade zu einem Drittel. So überließ Egid Quirin Asam diesen Part ganz dem Bauführer, dem Wessobrunner Joseph Baader, der 1695 nach Rohr geheiratet und wahrscheinlich im folgenden Jahr mit der Erhöhung des Turms ein erstes Beispiel sei-

Rohr, Stiftskirche, Hochaltar vom rechten Chororatorium

ner handwerklichen Fähigkeiten geboten hatte. Er starb am 18. Mai 1721 nach der Durchführung seiner Aufgabe.

1721 erwähnt der Chronist des Stifts, Antonius Bonzano, den „Edlen undt Kunstreichen Herrn Aegidii Asam, der das gebäu fuehrte". Anläßlich der Stiftung einer Jahrtagsmesse zum Abschluß der Arbeiten wird Egid Quirin 1725/26 als „Stukkator von München und allhier gewester Kirchenbaumeister" bezeichnet. So spärlich das überkommene archivalische Material zum Kirchenbau auch ist, so lassen die beiden übereinstimmenden Notizen zusammen mit der Analyse des Werks nicht den geringsten Zweifel an Egids Autorschaft. Zu diskutieren ist lediglich, wie der nahezu siebzigjährige Propst Patritius von Heydon aus Straubing, der von 1682 bis 1730 dem Stift vorstand, dazu gekommen sein mag, ausgerechnet dem jüngeren der Brüder, der noch kaum etwas vorzuweisen und als Architekt keinerlei Erfahrung hatte, den anspruchsvollen Auftrag zu erteilen.

Schuf das Ende des Spanischen Erbfolgekriegs mit der bejubelten Rückkehr des Kurfürsten Max Emanuel aus französischem Exil ganz allgemein eine günstige Atmosphäre für Bauunternehmen bayerischer Landklöster, so dürfte für das Chorherrenstift Rohr die Aufnahme in die „Lateranensische Kongregation" im Jahr 1715 einen besonderen Anlaß geboten haben. Den entscheidenden Anstoß gab aber sicher das Vorbild des nahen Benediktinerklosters Weltenburg. Hier muß der Kontakt mit den Asams zustande gekommen sein, und es ist kaum zu bezweifeln, daß der erste Ansprechpartner Propst Heydons Cosmas Damian Asam war. Ganz abgesehen von dem vermuteten Italienaufenthalt Egids im Sommer 1716, gebot es die Verantwortung dem Bauherrn, sich an den älteren und erfahreneren der Brüder zu wenden. Ob die Verhandlungen bereits ein konkretes Stadium erreicht hatten, entzieht sich ernsthafter Spekulation. Im Spätjahr 1716 – nach der Rückkehr aus Rom – dürfte Egid Quirin sich eingeschaltet und sein verblüffendes Projekt präsentiert haben, das den Vorzug weitgehender Unabhängigkeit von der Weltenburger Konzeption besaß. Überzeugt von dessen Vorschlag, muß Cosmas den erst 24jährigen Egid nach Rohr empfohlen haben.

Das Projekt der Hl.-Geist-Kapelle in Thalkirchen

Die bedeutendste der wenigen asamschen Architekturzeichnungen wurde von Engelbert Baumeister Egid Quirin zugeschrieben. Dieser verrät sich durch kläubelnden Duktus, während Cosmas zwischen zeichnerischer Brillanz und freskantenhafter Flüchtigkeit schwankt.

Besser als der gängige Insider-Terminus „Zentralbauentwurf" trifft die Bezeichnung „Schaubild" den Charakter des Blattes.[34] In orthogonaler Projektion führt die Zeichnung Äußeres und Inneres einer Rundkapelle vor Augen. Diese während der italienischen Renaissance entwickelte und in Architekturtraktaten bevorzugt für Zentralbauten verwendete Darstellungsweise bot Egid Quirin Asam die Möglichkeit, die Gesamtheit des Baues einschließlich seiner Ausstattung auf einem einzigen Blatt zu präsentieren. Darüber hinaus gibt er die Kapelle sogar in Benutzung wieder: Ein pagenartig gekleideter Knabe rafft vor einem aus der Sakristei tretenden Priester im Meßgewand den Vorhang, während ein vornehmer Herr einen letzten bewundernden Blick auf die Figurengruppe des Hochaltars wirft, ehe er über die geschwungene Treppe vom Emporengeschoß herabschreitet. Eine solche Staffage ist auf perspektivischen Architekturstichen zwar gängig, paßt aber nicht zu dem hier gewählten Darstellungsmodus. Diese aus dem Bestreben möglichst lebensnaher Vergegenwärtigung des Baues resultierende Übertreibung kann den Blick für eine kritische Beurteilung der Zeichnung schärfen. Sie kann die bisher anscheinend noch gar nicht gestellte Frage aufkommen lassen, wie der Entwurf aussah, der sich hinter dem Schaubild verbirgt. Die rechte Hälfte läßt im Mauerschnitt Spuren eines solchen Umformungsprozesses erkennen.

Die Stellen, welche sich dem Versuch widersetzen, die Zeichnung als realisierbaren Entwurf zu lesen, sind die Querachsen. Der Außenbau läßt an dieser Stelle ein Relief erkennen, das ebenso in die Architekturgliederung eingebunden ist wie das voll überschaubare Relief neben dem Portal. Auf dem durch einen Keilstein akzentuierten Gesimsaufschwung zu Voluten steht mit ausfahrender Geste ein Heiliger im Bischofsornat. Der attikaartige Tambour wird hier nicht von einem Fenster durchbrochen. Im Schnitt ist dagegen statt eines Reliefs ein Pilaster dargestellt. Das Tambourfenster fehlt ebenfalls, eine bekrönende Figur ist allerdings nicht vorhanden. Der Schnitt enthält darüber hinaus jedoch auch den entwurfsgemäßen Zustand, der sich von den beiden zunächst so vertrauenswürdig erscheinenden, aber einander widersprechenden zeichnungsdominanten Varianten unterscheidet. Ein im zylindrischen Raummantel nur knapp projiziertes Rundbogenfenster der Emporenzone gewinnt Deutlichkeit durch die im Ziegelmauerwerk skizzierten Haussteine seiner Rahmung. Leichter zu identifizieren ist im Tambour ein Fenster von derselben geschwungenen Form wie die Lichtöffnungen der Hauptachse. Wir haben es also insgesamt mit drei Varianten zu tun.

Die Frage ist nun, ob es sich tatsächlich um Varianten handelt, ob Egid Quirin Asam sich für diese Partie noch nicht endgültig entschieden hatte, oder ob lediglich Gesichtspunkte der Bildwirksamkeit ein Abgehen von einer korrekten Projektion veranlaßten. Wie wir aus einer Fülle weiterer Anzeichen schließen können, ist dies der Fall. Dagegen läßt sich ohne genauere Untersuchung des Blattes, die die Überschichtung der Vor- und Federzeichnung wie der Lavierungen ans Licht heben müßte, nicht entscheiden, ob der Zeichner ganz bewußt von vornherein eine technoide Architektenzeichnung mit einer bildwirksamen Darstellung überblenden wollte, oder ob er während der Arbeit von der einen Darstellungsweise zur anderen übergesprungen ist. Die relative Größe des Blattes könnte dafür sprechen, daß durchaus von Anfang an der Charakter des fertigen Werkes demonstriert und zugleich seine Realisationsmöglichkeit betont werden sollte. Wahrscheinlich wurde nur während der Arbeit am Schnitt der Akzent entschiedener als ursprünglich geplant auf die Seite der Wirkung verschoben. Mit den beiden Fenstern hätte der Riß nicht den hermetischen Charakter des ausgeführten Baues vergegenwärtigen können – zumindest nicht für einen künstlerischen Laien. Bei dem danach gezeichneten Außenbau konnte dieser Aspekt konsequent durchgehalten werden. Dennoch verrät sich auch hier die Intention: Das völlig verkürzte Querachsenrelief ist nichts anderes als die Seitenansicht des überschaubaren Reliefs. Auch dem effektvollen Bischof kann die Basis entzogen werden. Er hätte den höherrangigen Platz der Vase über dem fassadennahen Feld verdient gehabt: Er ist nur ein Requisit der Zeichnung, kein Bedeutungsträger des auszuführenden Baues.

Im übrigen ist die Effekthascherei bzw. – drücken wir es positiv aus – die Darstellung der Wirkung leicht zu diagnostizieren. Die Tambourfenster brauchen innen keine Zierrah-

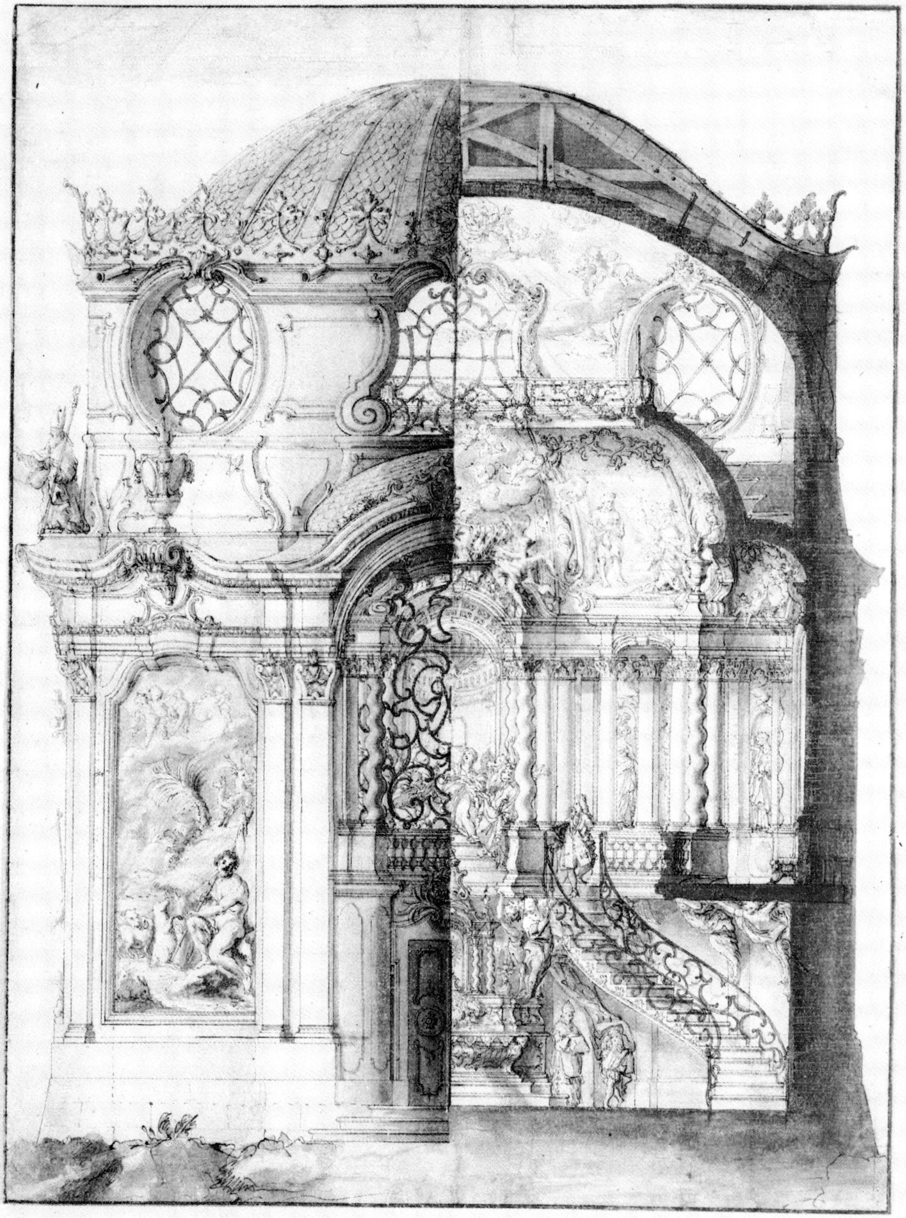

men, sie sind sogar von der Empore aus nicht zu sehen. Auch das Kuppelfresko braucht zwischen den Fenstern nicht soweit heruntergezogen zu werden. Einer der Eisenanker, die wie in Weltenburg das Halbgewölbe halten, ist auf der Zeichnung durch die schräge Armierung des Ovalfensters für die größte Distanz ersetzt; die Überblendung der Technik durch die Kunst bemerkt man an diesem Detail kaum. Die Zeichnung verbindet Realisierungsmöglichkeit mit Illusion. Sie scheint alles zu verraten, und doch gestattet sie nicht den Blick hinter die Kulissen: Von einem Querschnitt der Weltenburger Kirche – einer Bauaufnahme – ist sie ebensoweit entfernt wie von deren Photographie, oder – wohl richtiger – sie ist beiden ebenso nah.

Für den zu eruierenden Bauentwurf sind in der Querachse also ein Rundbogenfenster auf Emporenhöhe und ein geschweiftes Fenster im Tambour anzunehmen. Dieser sollte von acht Fenstern abwechselnder Form durchlichtet werden. Nicht eindeutig zu klären ist dagegen die beabsichtigte Gestaltung der Außenwand. Da ein Umziehen der Seiten mit Reliefs wegen des Fensters der Querachse nicht in Frage kommt, darf man vermuten, daß das Gliederungssystem an den Flanken zurückgenommen werden sollte, so daß sich das Portal mit zwei Relieffeldern als breite Fassade dargeboten hätte.

Als Grundrißform des Baues ist aus den gegebenen Indizien ein Kreis zu erschließen. Dem rundlichen Portalvorbau hätte rückseitig ein Sakristeianbau entsprochen mit einem Treppenturm zur Erschließung des Tambourraums. Beim Eintritt ins Innere wäre der Besucher gewiß sehr überrascht gewesen, denn er hätte von der Außengestaltung zwar auf einen besonders reichen Eindruck des Raumes folgern können, wäre aber durch dessen konventionelle Grundform keineswegs auf die exzeptionelle Innengestaltung vorbereitet gewesen. Wie hätte er vermuten sollen, daß die Portalachse in ihrer Zweigeschossigkeit, mit der Steigerung von unten nach oben genauestens die Innenaufteilung andeutet und mit den ins Fenster eingestellten gewundenen Säulen zur Altararchitektur hinführt? Er hätte in einem mit Lisenen sehr dürftig gegliederten Untergeschoß gestanden und über sich die Prunkarchitektur erblickt – gleichsam den von Engeln emporgehobenen Innenraum von Weltenburg, der Architektur eines Deckenfreskos nächst verwandt. Gewiß hätte es unten eine Altarmensa mit reichem Tabernakel gegeben, flankiert von zierlichen Treppenläufen, aber diese Luftwurzeln der nach oben entrückten Architektur hätten den Kryptencharakter des Erdgeschosses nur verstärkt.

Die Empore, die hier die Zone der Architektur einleitet, ist als Umgang ausgebildet, der in den Hauptachsen gegen den Innenraum vorbuchtet. Ausgangspunkt ist der Aufbau des Altars. Er gibt das Maß für die gesamte Emporenzone. Die gewundenen Säulen der Eingangsseite wie der Querachse sind nur als Gegenstücke der Altararchitektur verständlich, rahmen sie doch nichts anderes als erweiterte Oratorienräume – ein Hocker macht deren Funktion deutlich. Auch die konchenartige Einwölbung dieser hervorgehobenen Plätze ist ein Ableger des Altars, während wir uns den Umgang selbst flach oder mit einer Tonne gedeckt vorstellen können. Von den drei verbindenden Interkolumnien ist jeweils die mittlere in den Diagonalen durch eine Aufbiegung des Architravs hervorgehoben. Den Säulen

Schaubild der Hl.-Geist-Kapelle, die Egid Quirin Asam 1725 auf dem Landsitz seines Bruders in Thalkirchen errichten wollte; lavierte Federzeichnung in der Staatl. Graphischen Sammlung München

des inneren Rings entsprechen an der Außenwand Pilaster, die Figurennischen und Ornamentfelder rahmen. Auch die überaus zierliche Dimensionierung der Säulenordnung gegenüber dem Halbgewölbe wird nur durch den Altar bedingt, denn über ihm wird die Eigenwertigkeit dieser Wölbung durch Wolken und Putten aufgehoben.

Für das Erlebnis des Raumes sind die absoluten Maße nicht unerheblich. Sie lassen sich anhand der eingezeichneten Figuren ermitteln, wenn man berücksichtigt, daß die Grundmaße bei einem vollständigen Neubau griffig gewählt werden und daß als Maßeinheit der bayerische Fuß zu 0,292 m anzunehmen ist. Unter diesen Voraussetzungen ergibt sich ein innerer Durchmesser von 40 Fuß (= 11,68 m). In dieser Höhe liegt auch der Öffnungsring des Halbgewölbes. Eine solche kubische oder – wenn wir an das antike Pantheon in Rom denken, das mit seiner Öffnung im Gewölbescheitel derartige Barockräume angeregt hatte – kugelige Proportionierung hätte die Zone der Prunkarchitektur merklich an das andersartige Untergeschoß gebunden. Darüber hinaus ist die vertikale Gliederung recht einfach erfolgt: Die Einheit von 12 Fuß bestimmt das Untergeschoß, die Säulenordnung, das Halbgewölbe und den Scheitel des Deckengewölbes, während die Balustrade einschließlich des Emporenbodens vier Fuß mißt. Diese Aufteilung in gleichhohe Streifen hätte sich im Kapellenraum keineswegs so simpel dargestellt. Die gesamte Architektur der Emporenzone wäre mit dem Halbgewölbe zur Einheit verschmolzen, zu einer Einheit von 28 Fuß, die von Einheiten zu je 12 Fuß unter- und überfangen worden wäre. Die zunächst starr wirkende vertikale Aufteilung von 3:7:3 hätte nicht nur durch den steilen Aufblick, sondern auch durch die Ungreifbarkeit des gemalten Himmels eine Umwandlung zur Schwebung erfahren. Mit diesen Feststellungen wollen wir die Betrachtung von Maßen und Proportionen abbrechen und nur noch bemerken, daß der Goldene Schnitt allenfalls bei der Vertikalgliederung des Außenbaus – Hauptgeschoß und Tambour – eine Rolle gespielt hat.

Wie kommt Egid Quirin Asam zu dieser eigenartigen Architektur? Steckt Pozzo, dessen Entwurf für eine Fassade von San Giovanni in Laterano (Bd. II, Fig. 83) ihn wohl zur Gestaltung des Portals anregte, mit seinen Heiligen Gräbern dahinter, bei denen Treppen eine große Rolle spielen? Konsultierte er Stiche von runden Treppenhäusern? Hatte er die Cappella Avila in Santa Maria in Trastevere vor Augen, in deren Kuppellaterne vier Engel einen Tempietto heben, eine Schöpfung des Malers Antonio Gherhardi? Einige dieser oder ähnlicher Vorbilder kannte er gewiß. Sie gaben ein Umfeld ab für seinen eigenen Entwurf, der sich jedoch insgesamt bestens von den beiden Frühwerken der Brüder Asam, Weltenburg und Rohr, ableiten läßt.

Während der Zusammenhang mit der Kirche in Weltenburg nicht näher erläutert zu werden braucht, geht jener mit der Kirche von Rohr über den Ersatz des Altarblatts durch eine plastische Gruppe hinaus. Die dortige Aufnahme der Altararchitektur in der Gliederung der Chorwände, die Pozzo in einem Altarentwurf für die römische Jesuitenkirche Il Gesù vorgebildet hatte, löste offenbar die zweigeschossige Anlage des Kapellenraumes aus. Die Durchdringung der Altarkonzeption von Rohr mit der Architektur von Weltenburg ergibt ein erlebnismäßig neuartiges Gebilde. Hatte Cosmas in Weltenburg dem lichten Zielpunkt des Hochaltars das Deckenfresko gegenübergestellt und Egid in Rohr Blickziel und Auf-

Schaubild der Hl.-Geist-Kapelle, Ausschnitt

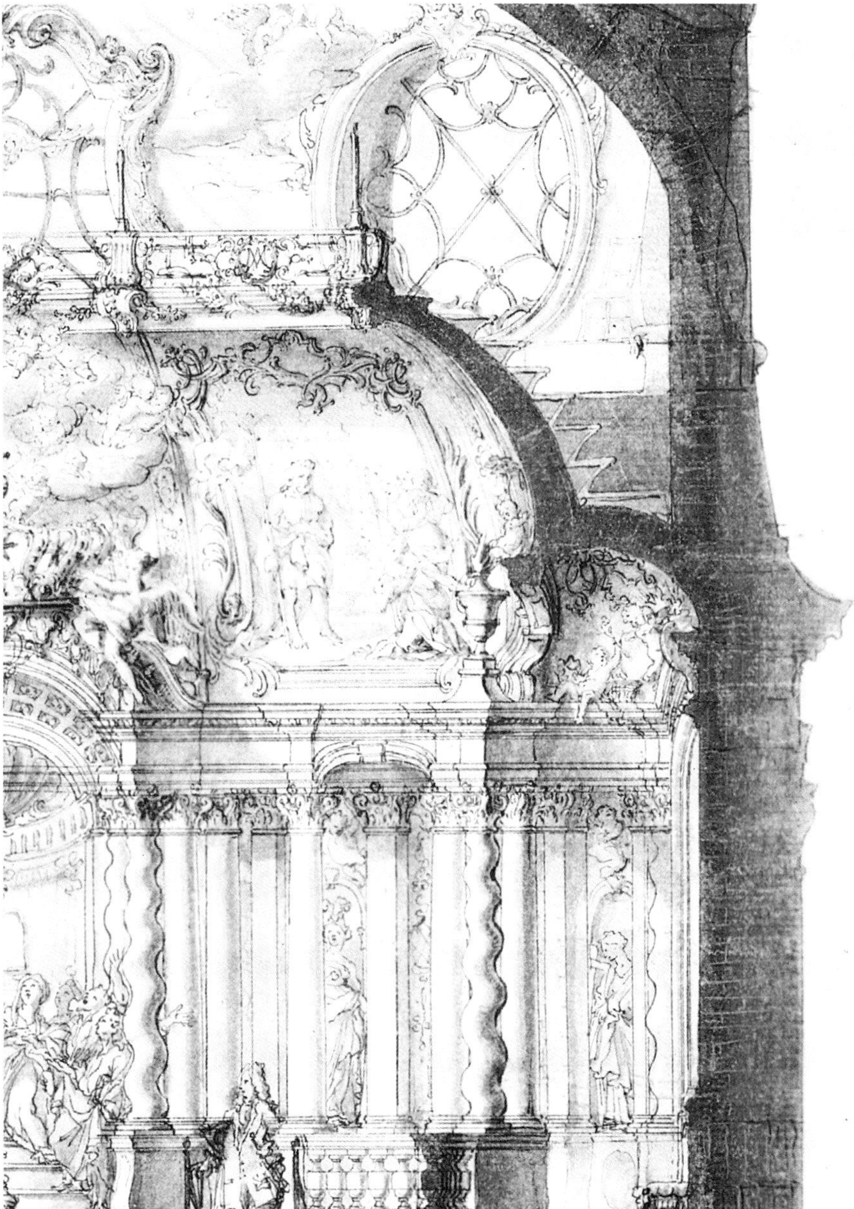

streben im Hochaltar – unter Verzicht auf Deckenfresken – verbunden, so legt er in der Rundkapelle den Akzent verstärkt auf den steilen Aufblick, wobei nicht nur das dunkle Untergeschoß, sondern auch das gemeinsame Thema von Gewölbefresko und Altargruppe den Effekt zuspitzt: Handelt es sich doch um die Herabkunft des Heiligen Geistes.

Eine Reihe weiterer Motive sind charakteristisch für Egid Quirins Repertoire der zwanziger und frühen dreißiger Jahre. Die Karyatiden-Engel begegnen erstmals um 1720 an der Orgelempore in Aldersbach, die große Bügelkrone treffen wir um 1725 an der Kanzel in Einsiedeln und 1732 an den Seitenaltären von Osterhofen. Das Blattdiadem, das als Kronreif über der Gewölbeöffnung in Weltenburg und über dem Altar von Rohr eine wichtige Rolle gespielt hatte, ist bezeichnenderweise auf den Außenbau übertragen worden und macht darauf aufmerksam, daß dieser als Stuckarchitektur dem Inneren angenähert, in seiner Detailgliederung geschmeidig gemacht ist. Das wird in der Münchener Asamkirche seine Fortsetzung finden.

Die durch Vergleich gewonnene Plazierung des Kapellenentwurfs zwischen den beiden Frühwerken und St. Johann Nepomuk läßt sich durch seine überzeugende Zuordnung zu einem Bauvorhaben bestätigen, die Jakob Mois vorgenommen hat.[35] Im Februar 1725 wandte sich Egid Quirin Asam an den Freisinger Fürstbischof Joh. Franz Eckher Freiherr von Kapfing und Liechteneck mit dem Gesuch, auf dem Grundstück seines Bruders in Thalkirchen aus eigenen Mitteln eine Kapelle zu Ehren des Heiligen Geistes erbauen zu dürfen. Die Kapelle sollte also neben dem heute Asamschlößl genannten Landhaus stehen, das Cosmas Damian ein Jahr zuvor erworben hatte. Egid versicherte, mit diesem Unternehmen nichts anderes zu bezwecken, als die Ehre der allerheiligsten Dreifaltigkeit zu vermehren und mitzuhelfen, an Sonn- und Feiertagen die jungen Burschen vom Müßiggang abzuhalten. Der Junggeselle sorgte sich also um die Bevölkerungsgruppe, der er selbst angehörte. Nachdem der zuständige Pfarrer von Sendling einen Versuch gemacht hatte, die Stifterlaune Herrn Asams auf die baufällige Liebfrauenkirche von Thalkirchen, eine Filialkirche seiner Pfarrei, umzulenken, erhielt dieser am 27. März 1725 aufgrund einer speziellen Anweisung des Bischofs die Baugenehmigung.

Das Schaubild verrät in den erkennbaren Bildern ein Hl.-Geist-Patrozinium. Johannes der Täufer deutet im Außenrelief auf das Lamm Gottes, auf den, der nach ihm kommen und mit dem Hl. Geist taufen wird (Joh. 1,29–34). Das Relief der Halbkuppel zeigt die Erscheinung des Auferstandenen vor den Jüngern, die er vor der Übertragung der Binde- und Lösegewalt anhaucht mit den Worten: „Empfanget den Heiligen Geist!" (Joh. 20,22). Das Pfingstwunder erstreckt sich als Hauptszene vom Gewölbefresko, unter dem die Geisttaube frei schwebt, bis zu der Figurengruppe des Altaraufbaus. Der Lichteffekt hätte die Herabkunft des göttlichen Geistes überwältigend veranschaulicht.

So gut sich auch die zierliche Treppenanlage für eine Gartenkapelle eignen mag, so übertrieben scheint die allgemeine Kostbarkeit. Dies muß jedoch keineswegs gegen die Bestimmung des Entwurfs sprechen. Cosmas Damian hatte mit dem Landgut die Edelmannsfreiheit erworben, und beide Künstler waren nach der Ausziehrung des Freisinger Doms am 19. September 1724 als Hofmaler bzw. -stukkator zu Fürstlich Freisingischen Kammerdienern ernannt worden. Es galt also auch, in einem Werk der Frömmigkeit sozialen Rang zu repräsentieren und höchste Kunstfertigkeit zu demonstrieren. Egid Quirins Kirche in der Sendlinger Straße wird auf derselben Linie liegen. Und als Vorstufe der Asamkirche ist der

Andrea Pozzo, Fassadenprojekt für die Lateransbasilika in Rom, Fig. 83 im zweiten Teil von Pozzos Traktat, Ausschnitt

Entwurf am besten verständlich, dieser noch ebenso fern wie Rohr und Weltenburg nah. Stilistisch spricht nichts dafür, von dem Datum 1725 weiter abzurücken.

Egids beabsichtigter Beitrag zum neuen Besitz Cosmas Damians ist ein Akt zärtlicher Bruderliebe, den man nur mit Rührung vermerken kann. Oder hatte die Idylle eine Kehrseite? Der Umstand, daß die Kapelle unausgeführt blieb, könnte dafür sprechen. Als Egid um Baubewilligung nachsuchte, hatte er das notwendige Kapital beisammen. Auch wenn er auswärts tätig war, hätten Maurer und Zimmerleute den Rohbau aufführen können. Warum geschah dies nicht? Hat etwa Cosmas den Bau hintertrieben? Wäre es so gewesen, so könnte man nur tiefes Verständnis für ihn aufbringen. Denn ein solches Werk hätte den Stukkator für Jahre und Jahrzehnte zum Dauergast in Thalkirchen gemacht. Egid konnte schnell, er konnte aber auch sehr langsam arbeiten, wenn er sich in ein Werk verliebt hatte. Und von Werkverliebtheit zeugt das Schaubild gewiß. Der Herkunft nach waren die beiden Künstler Brüder, die 1711 vorgenommene Aufteilung ihrer Tätigkeit hatte sie gleichsam zu

Zwillingen gemacht, dieses Kapellenprojekt hätte sie siamesisch verwachsen lassen – gewiß eine Gefahr. Denn angesichts ihrer enormen Arbeitskapazität müssen wir auch mit großen Spannungen rechnen. Darüber hinaus hatte Cosmas Familie. Möglicherweise ging es nicht nur um den Kapellenbau, sondern zugleich um die Frage, ob Egid Quirin jetzt auch in Thalkirchen ein- statt aus der gemeinsamen Behausung in der Schwabinger Gasse 39 ausziehen sollte. Er ist ausgezogen und kaufte sich 1729 in der Sendlinger Straße ein Haus. Damit verlor er nicht den Familienanschluß, den ein Junggeselle braucht. In München waren damals alle Entfernungen kurz.

Da Egid Quirin seinen Kapellenbau immer verzögert habe und zur Zeit außer Landes sei, machte Cosmas Damian Asam am 20. März 1730 eine Eingabe an das Ordinariat in Freising, die seiner Zeit seinem Bruder erteilte Baubewilligung nunmehr auf eine Marienkapelle zu übertragen. Bald war alles geregelt und im Oktober das Bauwerk weihefertig, obwohl der Bauherr während der guten Jahreszeit in Bruchsal und Alteglofsheim tätig war.

Dieser Bau stand in größtem Gegensatz zu dem besprochenen Entwurf. Es handelte sich nicht um ein Schaustück asamscher Kunstfertigkeit, sondern um eine schlichte dreiachsige Kapelle mit halbrunder Apsis, die in einem Dachreiter aufgipfelte und sich lediglich durch einen überdachten polygonalen Säulenvorbau vom allzu Landläufigen unterschied. Nach den wenigen erhaltenen Darstellungen käme niemand darauf, die Kapelle als Zeugnis asamscher Architektur zu notieren. Diese Reproduktion des Einsiedler Marienwallfahrtsheiligtums wirkte ausgesprochen ländlich, keineswegs so anspruchsvoll wie die Wiederholung der Einsiedler Gnadenkapelle im Schloßpark von Rastatt, in dem man auch die Nymphenburger Pagodenburg kopiert hat. (Rastatt sei nur als Beispiel eines kulturellen Zusammenhangs der kurzen Wege in alter Zeit erwähnt; die Treppenanlage vor dem Hochaltar der dortigen Schloßkirche müssen wir nicht als vorbildlich für die Treppe von Egids Kapellenprojekt heranziehen.) Wenn es die Kapelle in Thalkirchen noch gäbe, könnte man vielleicht darlegen, wie unterschiedlich sich das Schweizer Wallfahrtsheiligtum einer badischen Markgräfin und einem Künstler darstellte, der im Kirchenbau von Einsiedeln sein Höchstes geben mußte. Nach allem, was wir wissen, konzentrierte sich sein Interesse nicht auf die Gnadenkapelle, sondern umfaßte den gesamten Wallfahrtsort. 1803 wurde der Abbruch der Thalkirchener Kapelle ohne Widerstand beschlossen, 1807/08 vollzogen.

Es macht aufmerksam, daß Cosmas Damian 1730 in zwei Eingaben die Abwesenheit seines Bruders betont. Hatte er ein schlechtes Gewissen? Wollte er schnellstmöglich vollendete Tatsachen schaffen? Das würde zu unserer obigen Interpretation des Vorganges passen. Diese soll jedoch nochmals relativiert werden durch die Frage, ob Egid seinen Kapellenbau nicht oder nicht nur deshalb hinausgezögert hat, weil er Widerstand in der Familie spürte, sondern weil Cosmas nach ursprünglicher Zustimmung andere Vorstellungen entwickelte, sobald das Stadium der Konkretisierung erreicht war. Es ist durchaus möglich, daß Egid nur deshalb das Hl.-Geist-Patrozinium gewählt hatte, weil es besonders gut für eine ihm bereits vorschwebende Baugestalt paßte. Die Kapelle des Cosmas wirkte auf seinem Grundstück viel persönlicher. Sie erinnerte an die Glanzleistung der Brüder bei der Ausschmückung der berühmten Schweizer Wallfahrtskirche und gab darüber hinaus die Gelegenheit, den Besitz „Asamisch-Maria-Einsiedl-Thal" zu nennen: Ein Hauch von Eremitage streift das Landhaus, das schon bei den Asams „Gschlössl"[36] hieß. Eine 1733 errichtete Rosenkranzbruderschaft band die Kapelle an die Gesellschaft.

München-Thalkirchen, Asamschlössl mit der 1730 von Cosmas Damian Asam errichteten Maria-Einsiedl-Kapelle, Aquarell von Joh. Georg v. Dillis

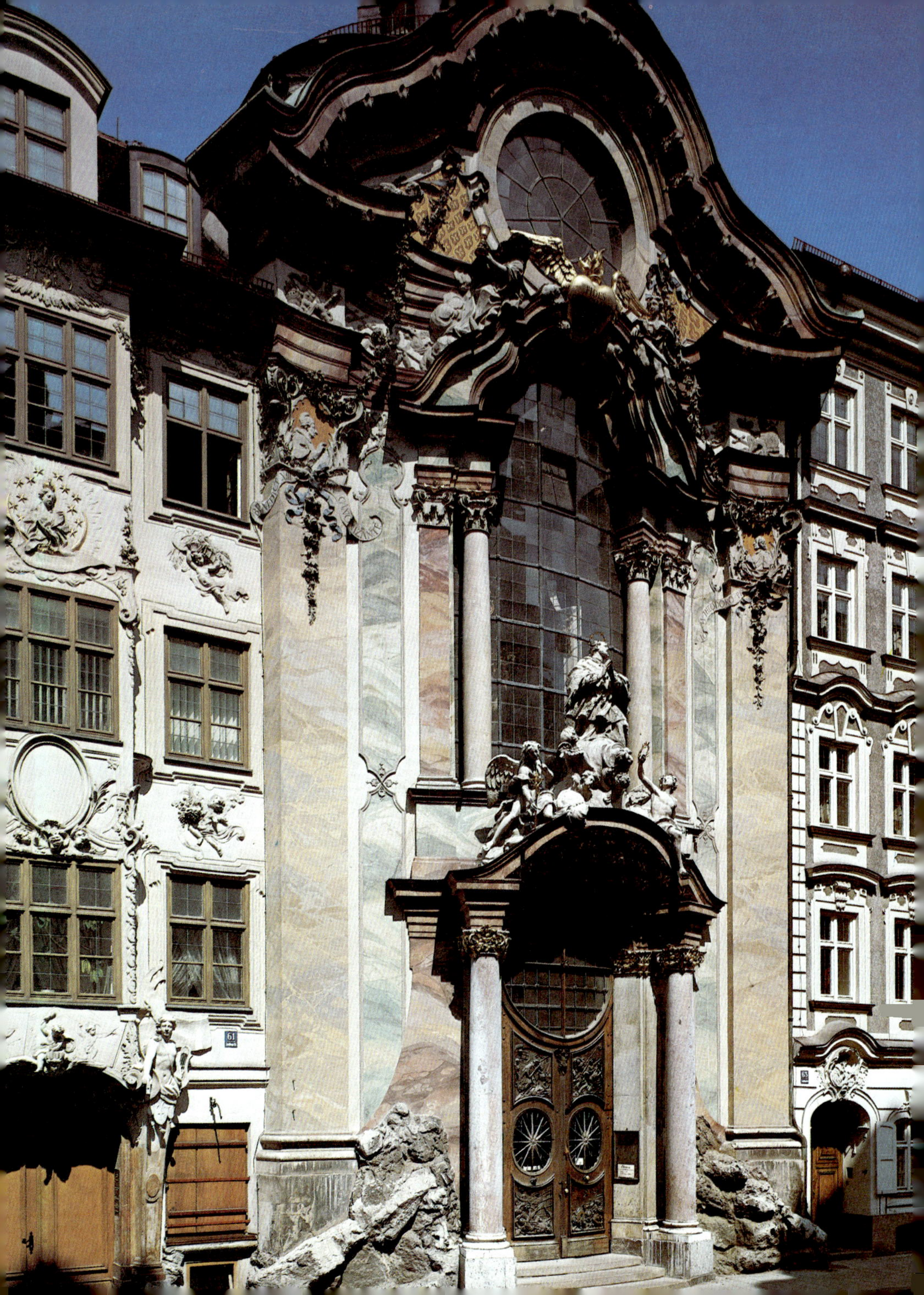

St. Johann Nepomuk in München – die Asamkirche

Die Johanneskirche in der Sendlinger Straße wird im Volksmund „Asamkirche" genannt. Der Brauch ist gut, denn Egid Quirin Asam hat die mit seinem Wohnhaus zu einem Komplex verbundene Kirche gestiftet und aus seinem Vermögen finanziert. Da er sie zugleich entworfen und – zusammen mit Cosmas Damian – ausgestattet hat, ist es neuerdings in Mode gekommen, auch auswärtige Bauten der Brüder als Asamkirchen zu bezeichnen. Eine solche rein kunstgeschichtliche Ausweitung des Begriffs ist geeignet, den Eigencharakter der Werke zu verwischen und einer Haltung Vorschub zu leisten, die das Œuvre der Brüder als eine Art Asam-Puzzle mißversteht. Wenn auch die Asams selbst von Fall zu Fall ihre Entwurfsblätter heranzogen, so ist doch für Denkmalpfleger Zurückhaltung geboten. Sie sind keine originären Künstler. 1977 wurde über dem oberen Altar der Asamkirche ein Westfenster eingebrochen – die Kirche ist nach Westen ausgerichtet – und nach verschiedenen anderen Versuchen mit Versatzstücken eines Nebenaltars der Kirche von Osterhofen dekoriert. Basis dieser Maßnahme Erwin Schleichs war eine falsche These Carl Lambs, die dieser nur klammheimlich zurückgezogen hatte, so daß sie bei einigen kunsthistorischen Autoren überdauerte. Den Abbruch dieses inzwischen wissenschaftlich eindeutig widerlegten Experiments möchte man erleben.

Die Asamkirche ist oft beschrieben worden.[37] Wir wollen uns hier auf einige charakterisierende Bemerkungen und Einzelerörterungen beschränken. Auch von dem reichhaltigen Datenmaterial sei nur das Wichtigste herangezogen.

1729	Egid Quirin kauft ein Haus in der Sendlinger Gasse.
1730	Erwerb des südlichen Nachbarhauses.
1731	Gesuch um Baubewilligung einer Johann-Nepomuk-Kapelle; wird 1732 wegen zu geringen Platzangebots abgelehnt.
1733	Gesuch um Baubewilligung einer Kapelle oder Kirche auf dem Grundstück eines dritten, nördlich des ersten gelegenen Hauses. Am 16. Mai, dem Fest des hl. Johann Nepomuk, legt Kurprinz Maximilian Joseph den Grundstein zur Kirche. Cosmas Damian kauft das nördlich an die Kirche stoßende Haus und gibt es im folgenden Jahr an Kaplan Philipp Franz Lindmayr zur Errichtung eines Priesterhauses weiter.
1734	24. Dezember: Benediktion des Rohbaus.
1735	Gewölbefresko Cosmas Damians.
1736	Errichtung eines Johann-Nepomuk-Bündnisses.
1739	Einführung einer Dreifaltigkeitsbruderschaft, der das Johann-Nepomuk-Bündnis inkorporiert wird.
1746	1. Mai: Weihe der noch nicht vollendeten Kirche.
1751	Glockentürmchen und Orgel.
1771–1773	Neubau des Priesterhauses.
1776	Vorhallengitter.

München, St. Johann Nepomuk, Fassade

1783	Neugestaltung des unteren Choraltars durch Roman Anton Boos.
1944/45	Bombenschäden, Zerstörung des Altarerkers; Wiederherstellung 1946.
1972/73	Fassadenrenovierung mit Rekonstruktion des Glockentürmchens durch Architekt Enno Burmeister.
1975–1982	Innenrestaurierung mit Rekonstruktion der Orgel und Veränderung der Choraltäre durch Architekt Erwin Schleich.

Nachdem Cosmas Damian in Thalkirchen vollendete Tatsachen geschaffen hatte, verlegte Egid Quirin seine Kapellenbauabsichten in die Sendlinger Gasse. Als seine neuen Nachbarn sich um eine für die Seelsorge nötige Kirche bemühten, bediente er sich „der guten Gelegenheit, offentlich zu bekennen, daß er nicht ex Voto, sondern ganz aus freyem Willen und eigenen Mitteln . . . zu Ehre des heiligen Johann von Nepomuk eine Kapelle bauen wolle". Zur Präzisierung seiner Absichten gedrängt, erklärte Asam im März 1731 „ungesäumt", daß „er zur Erbauung seiner vorhabenden Kapelle wirklich das Benefiziat Lambachersche Hauß käuflich an sich gebracht, und eben deswegen von denen Bau-verständigen den dazu gehörigen Bau-riß habe verfertigen lassen, damit der hochlobliche Churfürstliche geistliche Rath von seiner thätigen Unternehmung vollends überzeuget wäre".[38]

In seinem Gesuch an das Ordinariat nennt der bisher verhinderte Kapellenbauer als Innenmaße des im Lambacherschen Haus verfügbaren Raumes 17 Schuh 3 Zoll zu 38 Schuh, also gut 5 zu 11 m. Dieser Raum ist in der südlichen Hälfte des Asamhauses zu identifizieren, so daß wir auch den in unserem Zusammenhang wichtigen Hinweis auf die Bauverständigen einschätzen können. Wenn wir vor der Fassade des aus zwei Häusern zusammengelegten Asamhauses stehen, hätten wir uns diese Kapelle in der Breite der beiden linken Fensterachsen zu denken – und sicher durch zwei Geschosse reichend. Bei ihrer Realisierung wäre es darum gegangen, eine Quermauer und eine Decke zu beseitigen, ohne daß das ganze Haus zusammenstürzte – gewiß Anlaß, Bausachverständige, Techniker mit Erfahrungen auf dem Gebiet der Statik, heranzuziehen. Der genannte Bauriß ist nur als Basis für eine asamsche Raumgestaltung aufzufassen. Mehr noch: ein Riß von mehreren Sachverständigen; das wäre kurios. Sollte es sich nicht doch um einen Riß Egid Quirin Asams handeln, in dem er die Ratschläge mehrerer Sachverständiger bereits berücksichtigt hatte? Der einzige Riß zur Asamkirche, der bisher aufgetaucht ist, scheint zu bezeugen, daß Egid Quirin die Entscheidungsfreudigkeit von Beamten nicht beeinträchtigen wollte.

Es handelt sich um einen Grundriß der Kirchenfassade im Münchener Stadtarchiv mit der Aufschrift „1733 Juni".[39] Aufbewahrungsort wie Darstellungsweise deuten darauf hin, daß es darum ging, von der Gemeinde die Erlaubnis zu erhalten, mit der Fassade etwa zwei Meter auf städtischen Grund hinauszufahren. Als Bauriß wäre die Zeichnung wertlos gewesen, denn die Baulinie der Straße verläuft schräg zu den Parzellen und weist gerade bei diesem Grundstück zusätzlich einen Sprung auf, weshalb die Fassade der Kirche nach Süden geschwenkt ist. Asam gibt den Genehmigungsorganen jedoch keinen Anhaltspunkt zu Rückfragen, sondern stellt den Fall in eingängiger Rechtwinkligkeit dar.

Auch die Bitte an den Kurfürsten um die Bewilligung einer Kirche vom Anfang des Jahres 1733 läßt in der Beschreibung des angebotenen Areals keine Untertreibung erkennen. Asam teilt mit, daß er sich das Haus des Herrn Carl Anton De Viller durch eine „eventualkaufs Verabredung" gesichert habe, „welche behausung, gleichwie es etlich 30 werchschuhe breit und eine Tiefe von etlich 70, bis 80 Schuhe in sich hat, also auch liegt von selbsten vor augen, daß sothanes spatium zu Herstell- und Erbauung einer schönen Kirche sufficient genug ist und das darinnen 3 schöne altär bequem stehen, auch zu unterkommung der Leute groß genug seyn könne". Die kontrollierbare Breite von 30 Werkschuhen, 8,76 m, ließ sich nur durch den Kunstgriff auf „etlich 30" steigern, daß die Flankenmauern der seitlichen Häuser in den Kirchenbau einbezogen wurden. So zeigt es der Fassadengrundriß. Deshalb übernahm Cosmas Damian zwischenzeitlich das nördlich angrenzende Haus. Die Länge der Kirche geht jedoch 20 Schuh über das angegebene Maß von etwa 75 Schuh hinaus, das ganze Altarhaus überdeckt einen Grund, der entweder als Hof zu dem Haus gehörte oder den Egid sonstwie an sich bringen mußte.

Überblickt man den Grundriß der Asamkirche, so möchte man die Schwierigkeit in der Bewältigung der Länge vermuten. Die im Baugesuch genannte Längserstreckung war jedoch ganz gemütlich. Höchst ungemütlich war dagegen die Höhenerstreckung, galt es doch, mit der Fassade die Bürgerbauten zu überragen und zugleich Licht für das Deckengemälde einzufangen. Die Länge ist eine Konsequenz der Höhe. Auch wenn der Raumschacht nur höhenmäßig vorgegeben, in der Tiefenerstreckung bereits gefolgert war, so bleibt doch die Frage, wie Egid Quirin ihn für die Anschauung umsetzte.

Die Länge von 28 m bei nur knapp 9 m Breite ist im Erdgeschoß durch Kulissenmotive gegliedert, die eine querovale Vorhalle und das etwas fülligere Altarhaus ausgrenzen. Auch

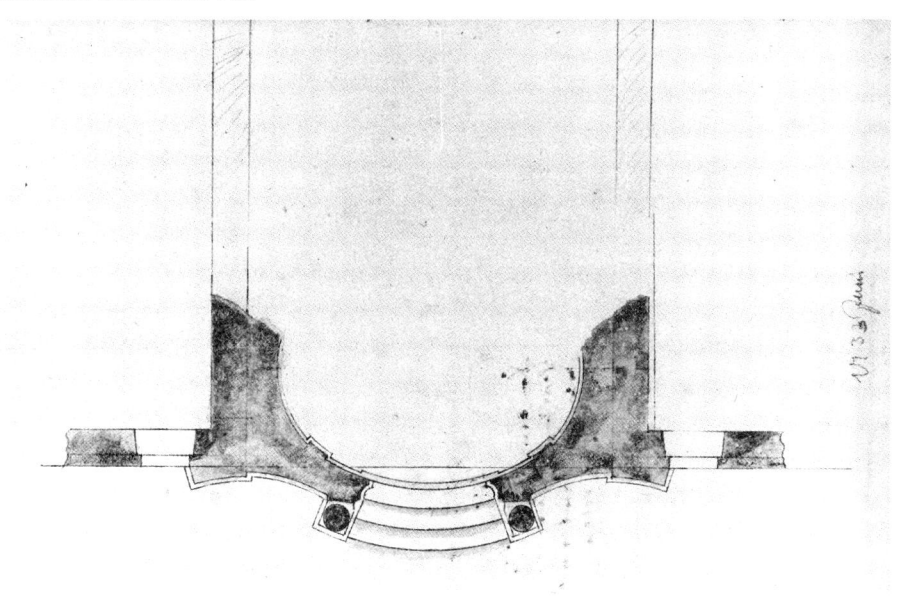

Fassadengrundriß von St. Johann Nepomuk, lavierte Federzeichnung Egid Quirin Asams im Münchner Stadtarchiv, 1733

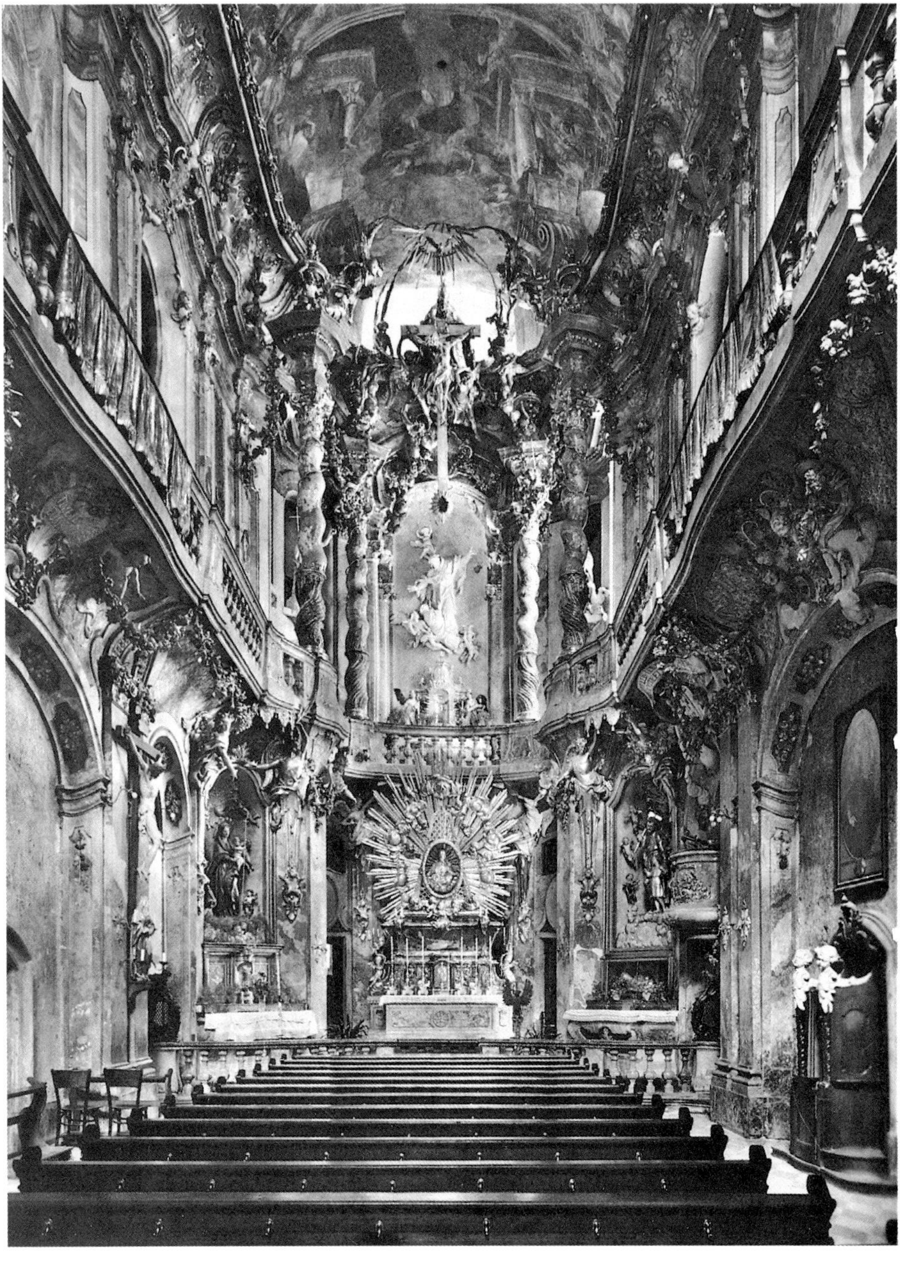

die Höhe von nicht ganz 19 m wird durch Kulissen bewältigt, durch die über einer Kehle als schmales Band umlaufende, nur über der Vorhalle vertiefte Empore und die Gewölbekehle des Obergeschosses. Der Einsatz solcher Kulissen in einem derartigen Raum läßt Überschneidungen befürchten, die der Architektur Zusammenhang und Festigkeit rauben. Egid Quirin begegnete dieser Gefahr positiv und tat alles, um ein optisches Gleiten zu fördern und an vorberechneten Stellen aufzufangen.

Betrachten wir die Wandgliederung des Schiffs, denn diese sieht im Längsschnitt relativ baumeisterlich aus. Bezeichnenderweise müssen wir aber auch Photographien zu Rate ziehen, da die moderne, auf die Eintragung der Dekoration verzichtende Bauaufnahme vieles offenläßt. Die Seitenwände sind mit einer Dreiergruppe besetzt, die sich im Obergeschoß breit entfaltet. Den Pilastern zwischen den drei Nischen entsprechen im Untergeschoß Doppelpilaster, so daß die unteren Nischen in der Breite reduziert werden, was vorzüglich die Seitennischen betrifft. Jenseits derselben steht ein einzelner Pilaster in der Position eines halben Pilasterpaares, was der Dimension der Eckrundung für die Seitenaltäre zugute kommt. Darüber hinaus trägt der Einzelpilaster einen Hermenengel, der mit einem Partner einen Baldachin über die Altarnische hält. Dieselbe Flucht des Pilasters aus dem zentralen Verband erleben wir am anderen Ende des Schiffs bei den Beichtstühlen mit ihren Figurengruppen. Die Doppelpilaster sind zwar gebälklos, doch gehen von ihnen kurvierte Gurte aus, die unter dem in die Emporenbalustrade eingelassenen Sockel zusammentreffen: ein kräftiger optischer Unterbau für die Rahmenpilaster der oberen Mittelnische. Nur ist es unmöglich, in der Kirche eine Position einzunehmen, in der dieser Zusammenhang sich eindeutig darstellt. Ebensowenig kann man oben eindeutig von Rahmenpilastern der Mittelni-

◁ *München, St. Johann Nepomuk, Inneres 1975 mit dem 1943 entworfenen und 1960 ausgeführten Relief von Franz Lorch*

München, St. Johann Nepomuk, Inneres mit der experimentellen Fensterlösung von Erwin Schleich

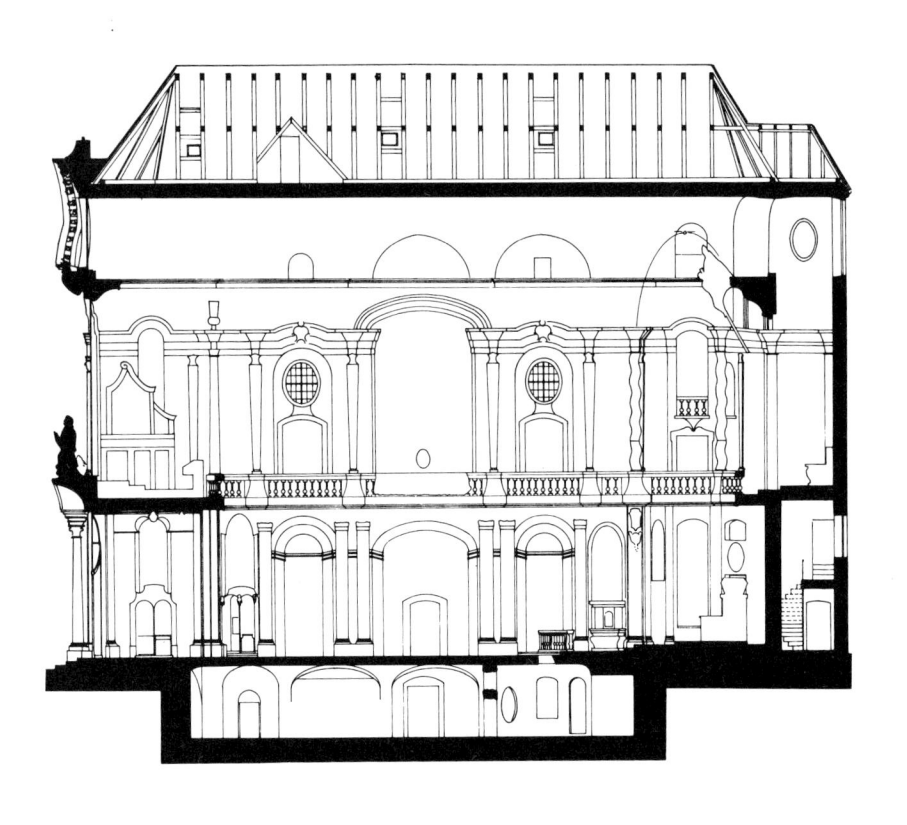

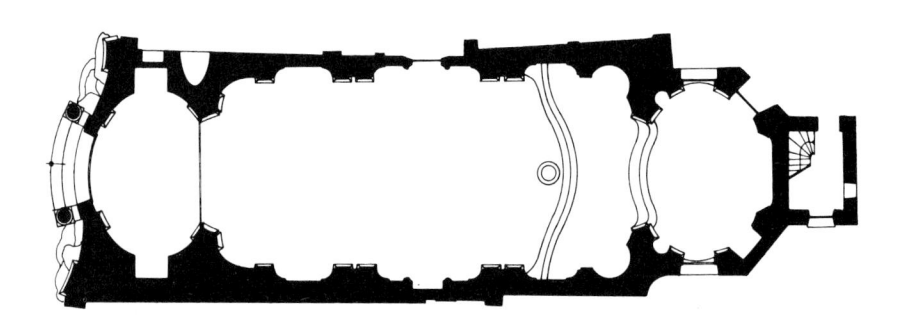

München, St. Johann Nepomuk, Längsschnitt und Grundriß nach Enno Burmeister

sche sprechen. Viel eher sind es solche der Seitennischen, die durch das fortlaufende Gebälk sicher eingegliedert sind, während der Korbbogen der Mittelnische zwar höher aufsitzt, aber doch nur eine Zäsur des Wandkontinuums verklammert. Das umschlossene Wandfeld füllt jeweils ein Fresko, dessen Architektur – übereck gesehen – von der Asamkirche zu Räumen des Prager Doms überleitet: Der Ort des 1729 heiliggesprochenen Johann Nepomuk ist dort und ist hier; er ist ein böhmischer Heiliger und zugleich Patron des bayerischen Landes und seiner Hauptstadt. Von Fresko zu Fresko bindet sich die Mittelnische mit dem Deckenbild, dessen Kehlenrahmung hier ausbuchtet, im Zusammenstoß akzentuiert durch Ornament und Stuckengel.

Der Kontrast der Formen ist erheblich. Die Pilaster unten hart und klobig, nicht ganz ernst genommen, da gebälklos. Überaus zierlich dagegen die oberen Hermenpilaster mit ihren aufgelösten Kapitellen, von ornamental ausschwingenden Feldern wie von einem Purpurmäntelchen hinterfangen. Diese köstlichen, höfisch wirkenden Gebilde steigern die sakrale Pracht der vier gewundenen Säulen auf den Sockeln der Empore, über denen vier Cherubim mit der Gloriole der Geisttaube einen Baldachinhimmel andeuten. Ihre Gegenstücke an den Ecken der Orgelempore bescheiden glatt, durch ausschwingende Gesimsplatten eingebunden, Vasen tragend. Man könnte versucht sein, die oberen Stützenarten mit den drei Ständen zu vergleichen und in den unteren Pilastern Repräsentanten der Bauern zu erblicken.

Der Auflösung der größeren Formationen, die sich im Längsblick zusammenschieben, im Aufblick überschnitten werden, antwortet die Abstimmung der Einzelform auf den Schrägblick durch Wölbung und Kehlung. Ein welliges, schwingendes Kontinuum artikuliert sich stellenweise; die faßbare Rundung erscheint als Sonderform der Wellung, die Gerade als Sonderform der Kurve. Auch Material und Farbigkeit schaffen ein Kontinuum, auch wenn sich der Marmor vom Naturstein zu subtilstem Stuckmarmor steigert und die Farben von unten nach oben heller werden. Auch das Gewölbefresko ist marmorfarbig gestimmt. Ein Kontinuum schafft das allenthalben aufblitzende Gold, das Silber. Bemerkt man, daß die Laibungen der unteren Nischen mit Kassetten dekoriert sind, denen auf den Kehlen der oberen Seitennischen nur Lichtreflexe entsprechen, so möchte man von einem Kontinuum der Effekte sprechen. Der Raum ist extrem malerisch.

Sind die oberen Pilaster durch die Empore überschnitten, so sind die unteren durch ihre Gebälklosigkeit fragmentiert. Im Kontinuum sind die Architekturfragmente lebensfähig. Von einem architektonischen Kontinuum kann allerdings keine Rede sein. Anders als die architektonischen Elemente bleiben die bildnerischen – Plastiken wie Gemälde – unfrag-

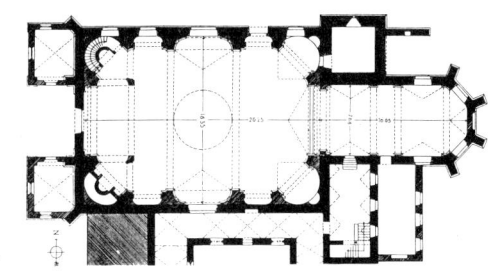

Rinchnach, Grundriß der 1727–29 von Joh. Michael Fischer umgebauten Propsteikirche

mentiert. Ein vollständiger architektonischer Zusammenhang stellt sich nur da ein, wo die Architektur ins Bildwerk übergeht, beim Hochaltar, der höchst originellen Umsetzung von Berninis Tabernakel der Peterskirche. Egid Quirin entrückte diesen in die Höhe, nachdem Cosmas Damian ihn 1728 im Gewölbefresko der Bruchsaler Hofkirche dargestellt hatte. Mit dem einzigartigen Gnadenstuhl machte der jüngere Asam das traditionelle Auszugsbild eines Altares zu dessen Zentrum, die Gesamtheit der Asamkirche motivierend. Im Bogen darunter müssen wir uns nach der ursprünglichen Planung ein versilbertes Stuckrelief vorstellen, das Johann Nepomuk vor Maria kniend zeigen sollte. Diesem Hochaltar ordnen sich die Seitenaltäre als ausladender Sockel optisch zu.

Ohne den Gnadenstuhl ist die Asamkirche nicht denkbar. Wahrscheinlich löste dieses Bildwerk die Gründung einer Dreifaltigkeitsbruderschaft aus, die 1739 etabliert wurde und einen eigenen Altar benötigte. Um ihn aufstellen zu können, wurde dem Altarhaus ein kleiner Erker angefügt, der sich auf das Rückgebäude eines Nachbarhauses abstützte. (Dieser windigen Konstruktion fiel er 1944 zum Opfer.) War aus dem einen Hochaltar nun auch ein Doppelaltar geworden, so änderte sich künstlerisch nicht viel: Das Johann-Nepomuk-Relief wurde, um zwei Meter zurückversetzt, in der Mauernische des Erkers ausgeführt, wo es bald an Wasserschäden kränkelte, bis es 1820/21 durch ein Ölgemälde abgelöst wurde.

Wie es Herbert Brunner herausgearbeitet hat, umzieht in der Asamkirche der Altar den gesamten Raum. Dennoch mußte Egid Quirin zur Lösung der schwierigen Aufgabe Kontakt halten zu Leuten, die mit dem Problem vertraut waren, Gegebenheiten architektonisch zu bewältigen. Bei der Frage nach anregenden Bauten wird man sich zuerst im Werk Johann Michael Fischers umschauen, da dieser interessanteste Baumeister Münchens mit den Asams offenbar auf gutem Fuße stand und diese damals mit der Ausschmückung von dessen Kirchen im Münchener Lehel und in Osterhofen beschäftigt waren. Das Ergebnis überrascht, denn zum Vergleich bietet sich ein Bau an, der nicht zu den Meisterwerken Fischers gehört und in seinem Œuvre eine gewisse Sonderstellung einnimmt, die Propsteikirche Rinchnach.[40] Fischer hatte sie 1727–1729 für das Kloster Niederaltaich im Inneren neu gestaltet. Den Asams war die 30 km nordöstlich von Osterhofen im Bayerischen Wald gelegene Kirche gewiß bekannt, sei es durch einen Besuch, sei es nur im Plan. Vielleicht hatte man mit ihnen sogar wegen ihrer Ausstattung gesprochen. Trotz gänzlich unterschiedlicher Proportionen besteht die Gemeinsamkeit von Rahmenmauern, dort eines spätgotischen Baues, hier der Nachbarhäuser. Die Gliederung, die den bestehenden Mauern vorgelegt wird, ist im Schiff der Asamkirche dem Langhaus von Rinchnach grundrißlich so verwandt, daß man einen Zusammenhang annehmen muß, zumal die zentrale Nischengruppe mit dem über dem Gebälk aufsitzenden Mittelbogen für das Obergeschoß der Asamkirche auch im Aufriß anregend gewesen zu sein scheint. Gibt sich die Architektur in Rinchnach baumeisterlich, so sind die entsprechenden Partien der Johanneskirche durch Umsetzung in die Formen des Altarbaus völlig verwandelt.

Das Queroval von Vorhalle und Altarhaus hat eine Vorstufe in Fischers Kirche im Lehel, auch boten die Kapellen in Osterhofen Anreiz zu solchen Randräumen. Wahrscheinlich hatte Cosmas Damian Risse der Klosterkirche in Wahlstatt, 1723–1731, erhalten, die er 1733 freskieren sollte. Möglicherweise hatte er auch eine Grundrißkopie der 1730 begonne-

München, St. Johann Nepomuk: Der Gnadenstuhl, Kulminationspunkt der Kirche

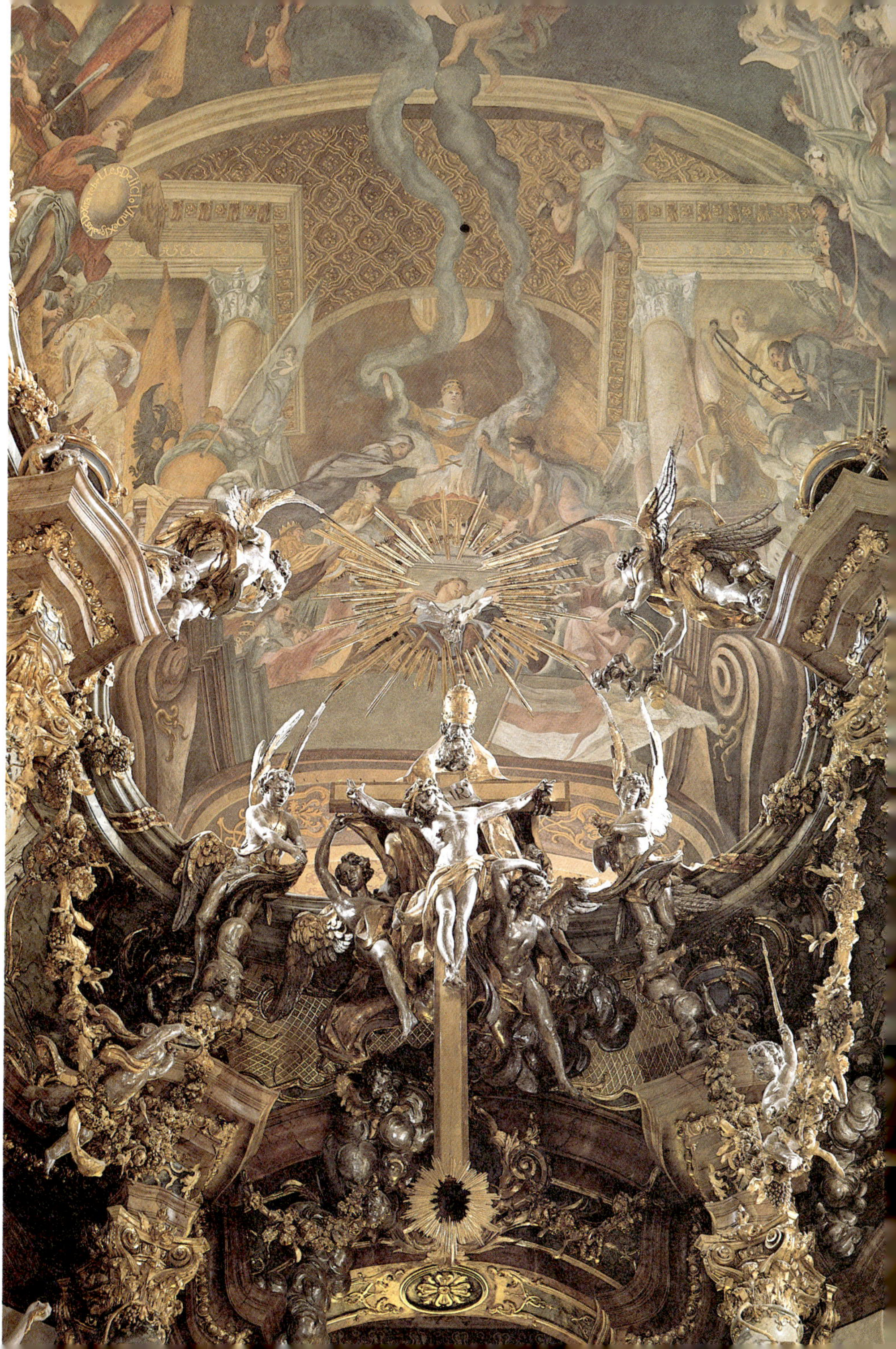

nen Prager Johanneskirche am Felsen besorgt, die als Titularkirche des neuen Heiligen am Ort seines Martyriums für Egid Quirin gewiß von Interesse war. Nach Prag hatte Cosmas beste Beziehungen. Beide Bauten Kilian Ignaz Dientzenhofers hätten eine Tendenz zu querovalem Vor- und Rückraum verstärken können.[41]

Die doppelgeschossige Anlage entspricht dem Typus einer Hofkirche, und Egid wußte sicher, daß in Würzburg, woher sein Schwager stammte, 1732 der Innenausbau der Residenzkirche eingesetzt hatte. Wieweit er über diesen von Balthasar Neumann und Lukas von Hildebrandt geplanten Bau unterrichtet war, wissen wir jedoch nicht. Sollte die Verwendung von Hermenpilastern im Obergeschoß – nicht ihre Form – von dort angeregt sein oder die zusammenschwingenden Gurte unter der Galerie? Im ganzen besteht jedoch kein Zusammenhang. Egids Privatkirche wirkt mit der – seit der Aachener Pfalzkapelle Karls d. Gr. üblichen – Betonung des Obergeschosses traditioneller als die Würzburger Hofkirche, mit der Konzentration auf den Hochaltar weitaus sakraler.

Als Kapelle einer Künstlerresidenz hätte die Asamkirche das Gefühl für ständische Hierarchie beleidigt, wäre sie nicht zugleich auch öffentliche Seelsorgekirche gewesen. Mit Einführung der Dreifaltigkeitsbruderschaft und Anfügung des Altarerkers wurde auch ihr Obergeschoß einer beschränkten Öffentlichkeit zugänglich. Das Kaisertum Karl Albrechts bot dann die Möglichkeit, mit dem Doppeladler über der Orgelempore ein heraldisches Glanzlicht zu setzen, das dem Hofkirchencharakter einen wittelsbachischen Anschein gab.

Der Hofkirchentypus ist nicht als fertiger gewählt worden, sondern hat sich aus der Querschnittproportion der Gebäudelücke ergeben. Die Zweigeschossigkeit ist eine Konsequenz aus Egid Quirins Entwicklung der Raumaltäre. Von Pozzo ausgehend, führt die Linie über den Rohrer Chor und das Schaubild der Kapelle für Thalkirchen direkt zur Asamkirche. Im Kapellenprojekt von 1725 war der Weltenburger Hypäthralraum mit seinem zweifachen Blickziel integriert worden. Dies bleibt wirksam, wird aber erheblich abgeschwächt, mit gleitenden Übergängen. Neu ist die Heraushebung einer schrägen Blickachse, der ursprünglich noch stärkere Bedeutung zukam. Wie Hans Lehmbruch eindringlich herausgearbeitet hat, ist das schöne Schmiedeeisengitter der Vorhalle eine nicht vorgesehene Beifügung. Denkt man sich das Gitter, das eine dichte optische Schranke bildet, fort, so ist der erste Eindruck ein ganz anderer. Der Blick wird sogleich von dem goldlichtumflossenen Gnadenstuhl angezogen: Das Bild der Dreifaltigkeit ist vor der Gesamtheit des Inneren da, entfernt, hoch oben, in seiner Intensität aber doch nah. Dieser erste Eindruck des zentralen Bildwerks ist das Korrelat zu einer Raumausgestaltung, die als Architektur weder gewürdigt werden soll noch kann.

Die Lösung vom traditionellen Architekturbegriff, die Umsetzung aller Formen in den Stil von Egids reifem Altarbau, wie er durch die gleichzeitigen Altäre von Osterhofen vertreten wird, könnte es rechtfertigen, die Asamkirche als ein Werk des Rokokos zu bezeichnen. Die Ablösung des Deckenbildes vom dreidimensionalen Unterbau und die terrestrischen Szenen im Gewölbe würden dazu passen; auch, daß die gemalten Architekturen, soweit sie nicht direkt historische Gebäude meinen, altertümlicher sind als die gebaute. Der Rückgriff auf die alte Tradition bildlicher Glaubensvermittlung im Gnadenstuhl, der Albrecht Dürers Darstellung der Dreifaltigkeit auf dem Allerheiligenbild von 1511 – heute in

München, St. Johann Nepomuk, Inneres gegen die Orgel

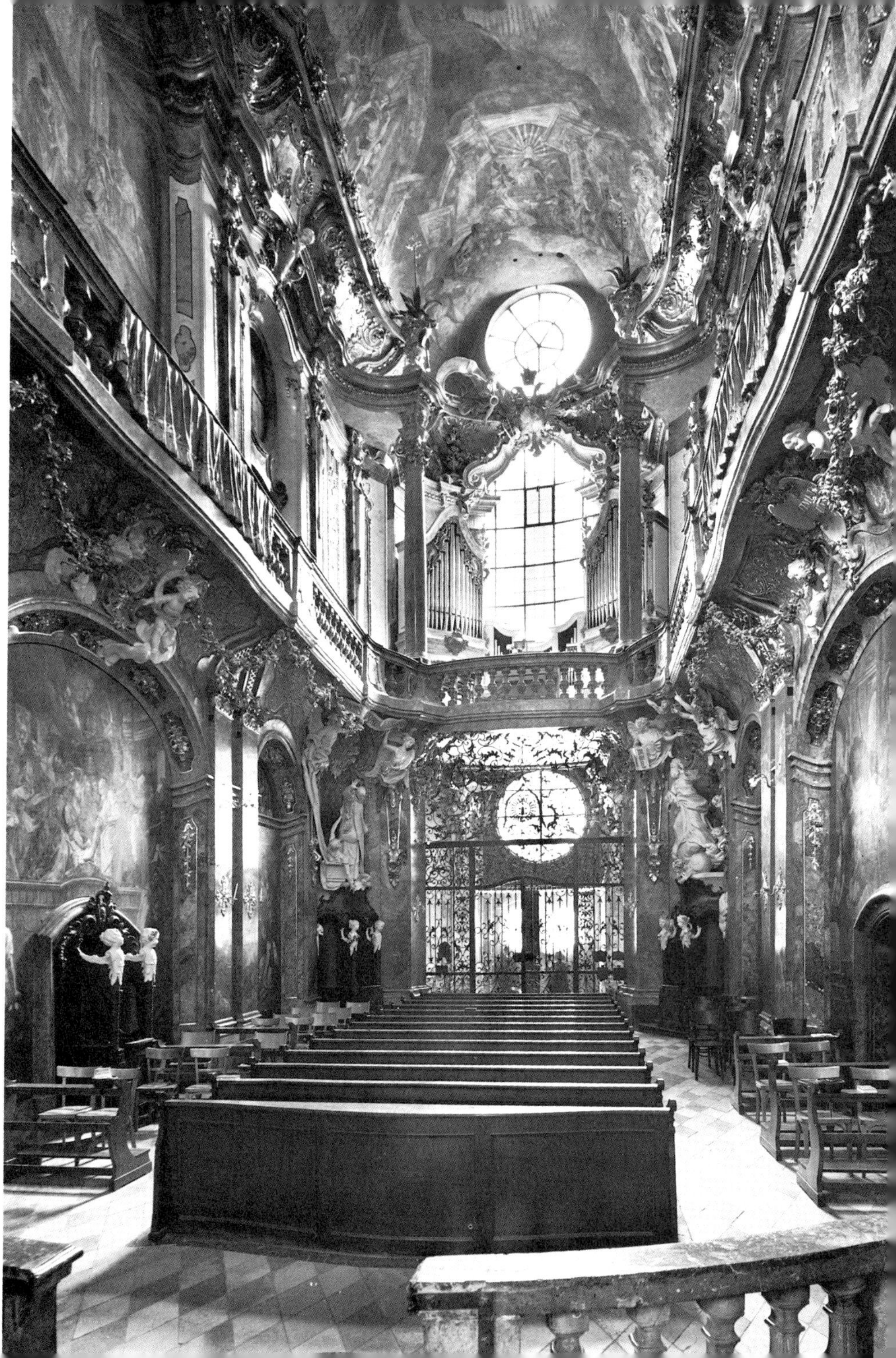

Wien – und in einem Holzschnitt desselben Jahres variiert, bezeugt in ihrem Kontrast zur gleitenden Raumgrenze die Spannungen der Rokokozeit, als die Aufklärung die barocke Glaubensgewißheit offenkundig zu bedrohen begann. Dennoch sträubt sich alles gegen den Begriff Rokoko. Die Asamkirche ist nicht zu vergleichen mit der nur ein Jahr später begonnenen Amalienburg François Cuvilliés' im Nymphenburger Schloßpark. Egid Quirin Asam vermeidet das ironische Ornament der Rocaille, er vermeidet weiße Flächen, die so subversiv werden können, er vermeidet manierierte Geziertheit im Figuralen. Blickt die Architektur auch gleichsam über die Schulter, so sprechen die Gestalten den Gläubigen noch direkt an. Vor allem arbeitete Asam mit der sonoren Farbigkeit einer Auflösung religiöser Stimmung und Glaubensgewißheit entgegen. Aus verdeckten Quellen gezielt einströmendes Licht gibt dem dämmrigen Interieur geradezu mystischen Charakter. Die Fassadenfenster bleiben als Hauptlichtquellen im Rücken. Egid Quirin ist bemüht, den Geist des Barocks festzuhalten, wenn er dessen Formenkanon und Systematik in vielen Punkten auch schon hinter sich gelassen hat. Man könnte seine Kirche als „Anti-Rokoko-Werk" bezeichnen.

Wie süddeutsche Kirchenfassaden ganz allgemein im zweiten Jahrhundertdrittel nur sehr selten von den Stilprinzipien des Rokokos betroffen werden, stellt sich diese Frage bei der Fassade der Asamkirche auch nicht. Sie ist aus Variationen eines einzigen Motivs entwickelt, der Ädikula, dem von Pilastern oder Säulen getragenen Giebel. Die Schwingung der Fassade und die Schweifung der Giebel geben dem Zusammenspiel der Variationen ein außerordentliches Leben. Zwischen der übergreifenden kolossalen Giebelstellung mit ihren der konkaven Ausschwingung folgenden Pilastern und dem mit Säulen vortretenden Portalgiebel vermittelt das obere Fenster, das zwar von Pilastern gerahmt wird, in dessen Laibung aber mit zurückgekröpftem Gebälk Säulen eingestellt sind. Den Rahmenpilastern dient neben dem Portal eine ausschwingende Wandvorlage als Sockel. Der Giebel des Fensters, durch dessen Bogen kontrahierend verdoppelt, überschneidet das zurück- und abschwingende Hauptgebälk, so daß sich sein Scheitel mit dem Rundfenster in dem fast gleich umrissenen Hauptgiebel berührt. Der jonischen Ordnung des Portals fehlt der Fries, jener der korinthischen Kolossalpilaster ist reliefiert. Die Artikulation der Fassade mit architektonischen Mitteln ist erstaunlich, geradezu raffiniert. In der gleitenden Verschiebung der Profile verrät sich deutlich der Stukkator, der die Mittel des Baumeisters zu steigern weiß. Ihn überragt noch der Bildhauer bzw. Stuckplastiker.

Die kunstvolle Fassade steht auf natürlich wirkenden Felsen. „Du bist Petrus, der Fels, und auf diesen Felsen will ich meine Kirche bauen", ein Herrenwort und zugleich wohl eine Anspielung auf die Peterspfarrei, der die Johanneskirche inkorporiert ist, und auch auf die Prager Johanneskirche am Felsen. Anfang 1740 bat Egid Quirin die Stadt um Zuleitungen für springende Wasser in den Felsen: Wasser – Moldau, Portalvorbau – Prager Karlsbrücke, das Anspielungssystem ist klar. Von Engeln begleitet, entschwebt der Heilige auf einer Wolke über dem Vordach zum Himmel, der sich in dem gewölbten Fenster spiegelt. Oben auf dem Fenstergiebel Allegorien von Glaube und Hoffnung, während das brennende und geflügelte Herz in der Mitte die Liebe symbolisiert. Die lateinische Inschrift auf dem vergoldeten Herzstück verkündet, daß sich die drei Göttlichen Tugenden in Johannes vereinen. Die Tugendtrias repräsentiert außen das innere Bild der Dreifaltigkeit. Die Fassade hat weitgehend den Charakter eines Straßenaltars, einer triumphalen Festdekoration. Den aktuellen Bezug erstellen die in die großen Kapitäle eingesetzten Bildnisse Papst Benedikts XIII., der Johann Nepomuk kanonisiert, und des Freisinger Fürstbischofs Johann Theodor, der den Bau der Kirche genehmigt hat. Putten sind noch am Schmücken und spannen ihre Girlanden herüber vom Asamhaus, dessen stuckierten heidnischen Kunsthimmel der religiös bebilderte Erker über dem Hausportal gegen die Kirchenfassade abschrankt. Der um ein Geschoß überhöhte Neubau des Priesterhauses brachte 1771 leider die gesamte Baugruppe aus dem Gleichgewicht.

Die Fassade der Asamkirche ist die einzige ohne Einschränkung genießbare Fassade der Asams. Sie ist zugleich eine der besten Leistungen der Zeit. Man kann ihr wenig Kirchenfassaden zur Seite stellen; am ehesten Johann Michael Fischers etwas spätere Fassade der Dießener Stiftskirche, deren subtile Schwingung durch das asamsche Vorbild trotz aller Andersartigkeit angeregt sein dürfte. Anregungen für Egid Quirin zu benennen, ist schwierig, da nicht die Motivkombination, sondern ihre Bearbeitung das Besondere ausmachen. Am ehesten kommt Pozzos Entwurf für eine Fassade zu S. Giovanni in Laterano in Betracht, die er auf der 83. Tafel des zweiten Teils seines Traktates publiziert hat. Wir hatten sie schon für die Portalachse des Kapellenentwurfs von 1725 herangezogen.

Die Ursulinenkirche in Straubing

Die Straubinger Klosterkirche St. Ursula ist unter den eindeutig verbürgten und erhaltenen Kirchenbauten der Asams nicht nur zeitlich der letzte, sondern von den Kirchen in Weltenburg und Rohr sowie von St. Johann Nepomuk in München auch in der Einschätzung so weit abgehoben, daß sie bei der Betrachtung der asamschen Kunst in größerem Zusammenhang zuweilen übergangen wird. Als Fortsetzung der vorausgehenden Dreiergruppe ist dieses Werk allerdings auch kaum verständlich.

1691 wurde das neugegründete Ursulinenkloster von Landshut aus beschickt und konnte noch im selben Jahr eine Schule für Mädchen eröffnen. In Säkularisations- wie Nazizeit an den Rand des Untergangs gedrängt, blüht die Bildungstätigkeit der Schwestern mit mehreren Schulzweigen heute mehr denn je.

Knapp ein halbes Jahrhundert nach der Gründung faßte der Konvent den Entschluß zum Bau eines neuen Klosters und zum Ersatz der bisherigen Kapelle durch eine größere Kirche. Die damalige Oberin, Maria Magdalena von Empach, entstammte dem Münchner Patriziat, so daß der Gedanke nahelag, den Kirchenbau den Brüdern Asam zu übertragen. Die Einwilligung der vielbeschäftigten Künstler, den für ihre Verhältnisse kleinen Auftrag zu übernehmen, wurde durch die Attraktivität des Schulordens erleichtert. Cosmas Damian brachte zwei Töchter als Internatsschülerinnen unter, die im weiteren Verlauf in das Kloster eintraten. Der Auftraggeberschaft entstand daraus ein beträchtlicher Nachlaß der Kosten. Egid Quirin unterstützte die Familienvorsorge auch deshalb begeistert, weil die Möglichkeit, einen Kirchenbau von Grund auf in die Hand zu bekommen, doch recht selten war. Er überredete seinen Bruder trotz der ohnehin gering veranschlagten Gesamtkosten von 4000 Gulden zum Rabatt, und dieser stellte seine Hälfte als Mitgift für seine ältere Tochter in Aussicht, sollte sie „Clostergeist" haben. Sie hatte ihn.[42]

Im Sommer 1736 wurde der Grundstein gelegt, 1738 der Rohbau vollendet und 1740 die Ausstattung fertiggestellt, so daß im Mai 1741 die Weihe vollzogen werden konnte. Die Äu-

Straubing, Ursulinen-kirche, Inneres

ßerung Egids in einem Brief vom 26. Oktober 1736, „das mir ein Freidt haben, ein schone Kirchen Zu bauen Und Zu Zieren", überstrahlt das Werk bis hin zur jüngsten Restaurierung in den Jahren 1979–1983, die auch versuchte, im Hochaltarblatt frömmelnde Biederkeit des 19. Jahrhunderts durch unsere heutige Auffassung von barockem Schwung zu ersetzen.

Zu dem Unternehmen haben sich fünf Briefe Egid Quirin Asams vom 3. September 1736 bis zum 9. Mai 1738 erhalten, ergänzt durch einen des Cosmas Damian vom 24. Januar 1738. Sie enthalten unter anderem Angaben zu einer Entwurfstätigkeit Egid Quirins, die bisher nicht mit richtigem Bezug auf das Baustadium wiedergegeben wurden. Deshalb wollen wir vor ihrer Besprechung den Kirchenraum betrachten.

Der Platz des Ursulinenklosters nahe der Nordostecke des alten Straubing war beschränkt. Zur Donau hin begrenzte die Burg die Ausdehnungsmöglichkeit des Klosters, die durch Zukäufe von Häusern in Nordsüdrichtung optimal genutzt wurde. Es ergaben sich zwei nicht ganz regelmäßige Vierflügelanlagen, welche die Kirche in die Mitte nehmen. Gänzlich fix war dagegen die Westostdistanz zwischen der Bruckgasse – heute Burggasse – und der Stadtmauer. Diese Distanz ließ der Kirche eine Längenerstreckung von nur 26 m. Die Rückfront des Karmelitenklosters jenseits der Gasse wertet den Standort nicht auf.

Im Innenraum verbindet sich Zentralität mit Längserstreckung in einer Weise, wie wir es in Süddeutschland in den dreißiger Jahren erwarten dürfen. Dem Zentrum ordnen sich vier Arme zu, von denen das Altarhaus am größten, das Paar der Querarme am knappsten bemessen ist. Die Arme sind grundrißlich aus dem Oval entwickelt, wenngleich die Wände hinter den Altären abgeplattet sind. Auch der Mittelraum erscheint queroval, und erst die genaue Vermessung bringt ans Licht, daß die vier Wandstücke, die zwischen dem von einem Giebel zusammengeschlossenen Pilasterpaar eine Pfeilerbastion bilden, sich einem Kreis anlegen. Die Hängekuppel des Zentrums wird von den Gewölben der Arme zur querrechteckigen böhmischen Kappe beschnitten. Die Abstimmung des Mittelraums auf die Anräume ist höchst raffiniert bewerkstelligt. Insofern ist die Eingangsbemerkung nichts als eine rhetorische Floskel, die dem Bau nicht seine Einmaligkeit bestreiten, sondern auf die Feststellung einstimmen will, daß wir es hier nicht mit der Architektur eines Dekorateurs zu tun haben, die ohne Ausstattung überhaupt nicht als ein Ganzes vorstellbar ist. Die Straubinger Ursulinenkirche würde auch ohne Altäre und Fresken rein als Architektur überzeugen – und das ist nach der Münchener Asamkirche das Verwirrende.

Durch die Altäre wird eine Ungereimtheit des sonst so klaren Raumes scharf hervorgehoben. In den Querachsen sind die Altaraufbauten dicht und akzentuierend in die Architektur eingebunden. Der gleichartige, wenn auch gesteigerte Hochaltar wirkt dagegen in der Apsis etwas vereinsamt. Das volle Gebälk setzt hier aus; lediglich sein Gesims schafft einen Zusammenhang, an der gekrümmten Wand girlandenhaft schwingend. Notiert man dazu den Zug von platter Nützlichkeit, der von den oberen Oratorien in die Kapitell-Gebälk-Zone gebracht wird, so kann man der Schlußfolgerung kaum ausweichen: Diese Oratorien wurden erst während des Rohbaus ins Programm aufgenommen. Dem Bestreben nach Vermehrung und Erweiterung der hochgelegenen Anräume dürfen wir auch das unschöne Übergriffenwerden der Pilaster durch die Brüstung der unteren Westempore anlasten.

Überraschenderweise bestätigen zwei Briefe Egid Quirins die nachträgliche Einfügung

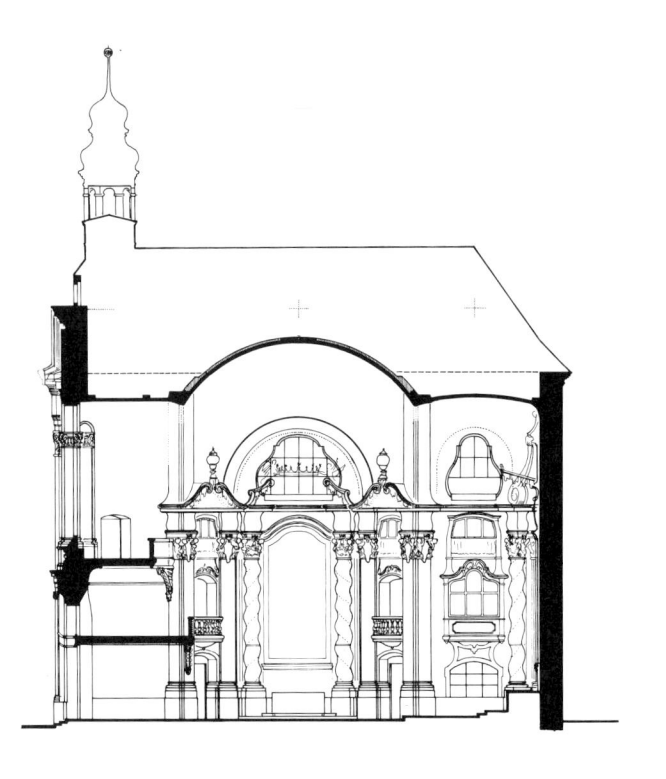

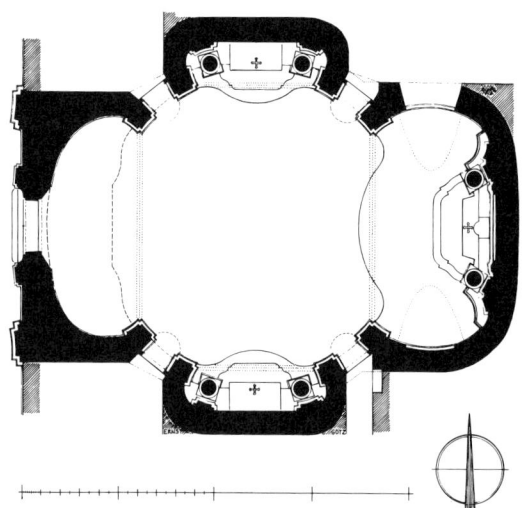

*Straubing, Ursulinenkirche,
Grundriß und Längsschnitt nach
Ernst Götz*

der Oratorien. Die betreffenden Passagen wären freilich ohne vorherige Ermittlung des Sachverhalts unverständlich. Die in diesem Fall erheblichen Schwierigkeiten einer exakten Transkription umschiffend, wollen wir die Ausführungen des Barockkünstlers in modernes Kunsthistorikerdeutsch übertragen. Asam beantwortete am 26. Oktober 1736 eine Anfrage der Oberin vom Vortag und erklärte, daß ihn Kreuzschmerzen hinderten, seine Aufwartung zu machen. Er könne sich auch nicht denken, wieso der Maurerpalier Schwierigkeiten haben sollte, da ihm die Höhe der Oratorien bekannt und nichts auszulassen sei als der Architrav. Die übrige Höhe sei vom Hauptgesims, einer puren Hohlkehle mit Giebel, auszusparen. Bei den Altären seien solche Änderungen nicht nötig. Er glaube auch nicht, daß man über das Ende des Hauptgesimses hinaufkomme. Sollte man aber doch bis in den Giebel kommen, so wolle er die nötigen Risse gleich schicken. Die giebelartige Aufschwingung der obersten Gesimslage wird im Text Dachl und Dach genannt. Am 3. November 1736 schickte Egid auf erneute Bitte eine in Eile verfertigte Visierung.

Die oberen Oratorien waren also im Ausführungsentwurf noch nicht enthalten. Von ihrer Einfügung in die Pfeiler des Mittelraums war Egid Quirin Asam offenbar nicht begeistert. Wie aus dem Brief vom 26. Oktober 1736 hervorgeht, waren sie damals im Altarhaus noch nicht vorgesehen, wo sie schließlich die bedauerliche Schwächung des architektonischen Zusammenhangs verursachten.

Der bereinigte Längsschnitt bringt uns dem ursprünglichen Entwurf nahe und hilft die Frage klären, wie die Asams zu dieser Art von Architektur gelangten. Überschaut man die vorangehenden Werke des Bruderpaares, so schiebt sich alsbald die Münchener Damenstiftskirche St. Anna[43] neben die Straubinger Ursulinenkirche. Die Münchener Kirche wurde erst 1785 dem neugestifteten Sankt-Anna-Damenstiftsorden übergeben und gehörte zuvor den Salesianerinnen, die wie die Ursulinen im Erziehungswesen tätig waren. Gewiß war die Straubinger Oberin Maria Magdalena von Empach, Tochter eines Münchener Bürgermeisters, unter den geladenen Gästen bei der Kirchweihe, die nach nur dreijähriger Bauzeit am 9. Oktober 1735 vollzogen wurde. Schaltet man den Winter 1735/36 als Zeit der Planung vor, so ist die Straubinger Ursulinenkirche das unmittelbare Nachfolgewerk der Salesianerinnenkirche, die möglicherweise sogar als Vorbild benannt worden war. Die Straubinger Kirche kann man einschließlich ihrer Ausstattung als Variation der Münchener bezeichnen – in einer anderen Tonart: Aus Dur wird Moll.

Der Münchener Bau ist nur unwesentlich länger, aber erheblich schmäler; der Straubinger ist in den Proportionen breiter, in der Gestalt rundlicher. Der Raum wirkt satter und – geben wir es zu – weniger monumental. Man würde kaum vermuten, daß seine Kuppel weit höher ansteigt als die der Damenstiftskirche. Andererseits: Welches Gewicht hat schon die Kuppel der Damenstiftskirche? Auf diesem Fundament wollen wir die Frage anschließen, welche weiteren Vorbilder wirksam geworden sein könnten. Bei der Umsetzung der Damenstiftskirche ins Rundliche mag die 1716–1723 errichtete Hofkapelle in Ludwigsburg förderlich gewesen sein. Cosmas Damian Asam dürfte ihren Architekten Donato Giuseppe Frisoni während seiner Tätigkeit in Weingarten kennengelernt haben. Er wird bei seinen Reisen nach Mannheim und Bruchsal das am Wege gelegene Schloß aufgesucht haben. Darüber hinaus war die Kapelle 1724 in einem Kupferstichwerk über Ludwigsburg publiziert worden.[44] Ebenso interessant ist in diesem Zusammenhang die an den nördlichen Querarm des Würzburger Doms angebaute Schönbornkapelle, ein 1721 begonnenes Werk

Balthasar Neumanns, das nach einer Bauunterbrechung erst 1736 geweiht wurde. Zu dem Kunstzentrum Würzburg hatten die Asams beste familiäre Beziehungen. Neben der italienisch-französisch-schwäbischen und der französisch-böhmisch-fränkischen Kapelle wirkt die Ursulinenkirche ausgesprochen bayerisch. Vor- und Altarraum der Münchener Asamkirche könnten ausreichen, die Umsetzung der Damenstiftskirche ins Rundliche zu begründen. Die Ludwigsburger Schloß- und die Würzburger Schönbornkapelle werden nur herangezogen, weil man weiß, daß auch von schöpferischen Künstlern logische Schritte in kleinen Stufen genommen werden und daß dabei eine besondere Offenheit für Anregungen gegeben ist.

Mit isolierten, französisch inspirierten Säulenpaaren wie in Ludwigsburg haben die Asams nichts im Sinn. Sie vermeiden sogar die von Viscardis Dreifaltigkeitskirche angeregten Dreiviertelsäulen der Damenstiftskirche. Die Beschränkung auf Pilaster kommt den Altären mit ihren gedrehten Säulen zugute. Diese leiten den Blick zur Mitte empor, am Hochaltar effektvoll unterstützt durch die breit anschwingenden Konsolen der seitlichen Figurengruppen. (In der Damenstiftskirche spreizen sich die Säulen des Hochaltars mit gegenläufiger Windung gleichsam gegen die Säulen des Raummantels.) Pilaster binden sich auch glatter mit den Gurten und geben so Gelegenheit zur Ausbildung eines reichen Übergangs, der mit zweifacher Kontraktion – in dem Giebel und der Aufbiegung des Freskorahmens – das Auseinanderfahren der Gurte dynamisiert. Das Motiv ist eine Reminiszenz der entsprechenden Stelle im Predigtraum der Stifts- und Wallfahrtskirche Maria-Einsiedeln, wo die Asams ein Jahrzehnt zuvor diese Lösung gefunden hatten, um den Predigtraum dem oktogonalen Wallfahrtsraum mit seinen von einem mittleren Pfeilerpaar ausstrahlenden Gurten anzugleichen. Dort ist die Dynamik freilich weitaus schärfer: eine andere Architektur, andere Dimensionen und auch eine andere Zeit. Die gemalte Behandlung der Gewölbezwickel in der Damenstiftskirche verrät durchaus einen Einsiedeln-Bezug, ist aber mit Rücksicht auf die gegebene Architektur undynamisch bindend.

Den Entwurf zur Damenstiftskirche hatte Johann Baptist Gunetzrhainer geliefert. Von dem Herrn Unterhofbaumeister Gunetzrhainer (Gundlrainer) sagt Egid Quirin Asam in einem Brief vom 1. März 1737, er habe ihn in bezug auf ein Gebäude konsultiert, das an die Straubinger Stadtmauer angebaut werden sollte und bei der Militärverwaltung auf Widerstand stieß. Um die Kirche selbst kann es sich nicht handeln, wohl aber um den die Apsis umziehenden Verbindungsgang der beiderseitigen Oratorien. Auch Cosmas Damian geht in seinem Brief vom 24. Januar 1738 auf diesen Punkt ein. Vielleicht betraf das Problem den gesamten Osttrakt des Klosters und wurde von dem Bruderpaar aus Gefälligkeit gegenüber den Klosterfrauen zur eigenen Sache gemacht. Es mag sein, daß Joh. Baptist Gunetzrhainer auch den Kirchenbau als – wie wir heute sagen würden – Techniker und Statiker betreute.

Die erhaltenen Briefe weisen Egid Quirin Asam als den Verhandlungspartner der Straubinger Ursulinen aus. Er fertigte den Detailriß zu den oberen Oratorien an. Auch die Fassade der Klosterkirche, die noch besprochen werden muß, deutet auf ihn hin. So nimmt man wohl zu Recht an, daß er die Baurisse entworfen hat. Damit ist jedoch noch nichts über den ideenmäßigen Anteil der beiden Künstler gesagt. Wenn die Wölbschalen mit einer Nut zusammenstoßen und das Einziehen der Gurte dem Freskanten überlassen blieb, so muß dies noch nichts besagen. Dagegen kann man in der an Einsiedeln erinnernden Ge-

Straubing, Ursulinenkirche, nördliche Altarkonche nach der jüngsten Restaurierung

*Straubing,
Ursulinenkirche,
Emporenraum*

staltung der Gewölbestützen und -zwickel einen Hinweis auf Cosmas Damian erblicken. Denn dieser hatte offenbar eine viel stärkere Bindung an die Schweizer Wallfahrtskirche, nach der er seinen Landsitz benannt hat. Wir dürfen nicht nur vermuten, daß er dort die

*Straubing,
Ursulinenkirche,
Fassadenriß nach
Ernst Götz*

Wölbung der beiden östlichen Räume des Schiffs entworfen hat, sondern können auch annehmen, daß es vorzüglich seine Leistung war, diesen gewaltigen und überaus schwierigen Kirchenraum Caspar Moosbruggers in den Griff bekommen zu haben.[45] Die Ecklösung des

*München,
Damenstiftskirche,
Inneres vor 1944*

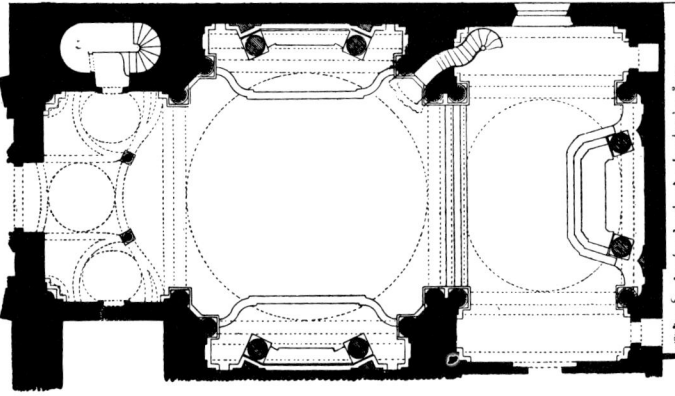

*München,
Damenstiftskirche,
Grundriß*

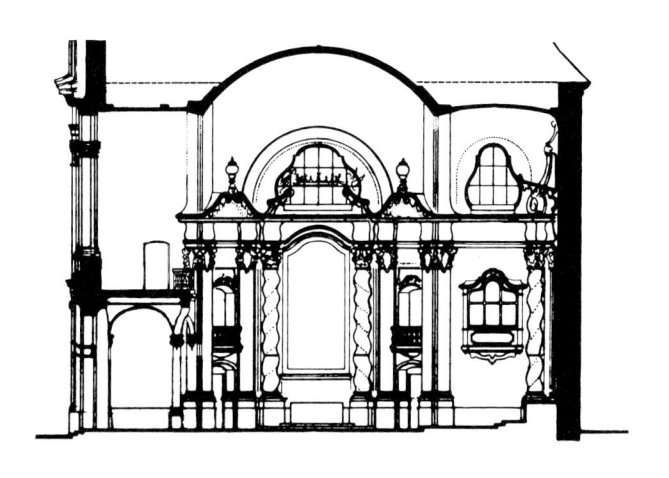

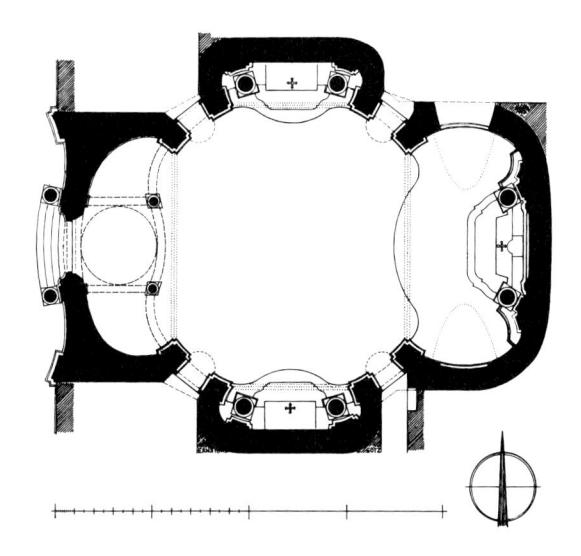

Straubing, Ursulinenkirche, Rekonstruktion des Ausführungsentwurfs von Egid Quirin Asam, Reinzeichnung von Ernst Götz. (Im Längsschnitt ist auf eine Ausarbeitung der Fassadenrekonstruktion verzichtet worden.)

Maria-Einsiedler Predigtraumes finden wir auch in den Säulenstellungen des berühmten Altarentwurfs für Maria-Dorfen. Diese bisher als Arbeit Egids aus der Zeit um 1740 betrachtete Zeichnung wurde neuerdings mit Quellenaussagen zusammengebracht, die von einem Altarentwurf Cosmas Damians im Jahr 1728 berichten.[46] Der frühere zeitliche Ansatz geht völlig in Ordnung. Das in der Figurenzeichnung sehr ungleichartige Blatt setzt sich von der gleichmäßig kläubelnden Art Egid Quirins ab und verrät ein ganz anderes Temperament. Die Konkordanz von Schriftquelle, Zeichenduktus und Motivik gibt der neuen Zuschreibung Überzeugungskraft. Für die Straubinger Kirche erbringt der Umweg über durchwegs sumpfiges Gelände eine Bekräftigung der Vermutung, daß Cosmas seine Hand entscheidend im Spiel hatte.

Erleben wir in der Damenstiftskirche eine Abstimmung der Altäre auf die Architektur des Raummantels, so könnte man bei der Ursulinenkirche von einer Abstimmung der Raumarchitektur auf die Altäre sprechen. Tatsächlich ist der Unterschied nicht sehr groß. Wir sind weit entfernt von dem gattungsverschmelzenden Gebilde der Münchener Asamkirche. Neben der Oberin von Empach dürfte Cosmas Damian Asam, der weit öfter als sein Bruder mit der Architektur fremder Baumeister konfrontiert war, Egid Quirin zum Normalbarock zurückgeführt haben – einem Normalbarock, der vor dem Rokoko nicht zurückscheut. Ein Vergleich mit dem zwölf Jahre später begonnenen Käppele Balthasar Neumanns über Würzburg erhellt, wie „normal" die Ursulinenkirche ist.

„Die originelle Westfassade ist mit Sicherheit und Größe in die enge Straße gesetzt."[47] „Musterhafte Architektenarbeit möchte man sagen, wenn man diese grau und steinfarben getönte Fassade erblickt: Gedämpftes Geigenspiel eines großen Meisters"[48] Wir sehen nichts anderes als ein stilistisch uneinheitliches Werk. Das Gesicht des Kirchenraums ist diese Fassade gewiß nicht. Sollen wir die Aufzählung der Ungereimtheiten mit dem unspezifischen Dachreiter, mit der einfältigen Giebelkartusche oder mit der steiflederen Binnengliederung beginnen? Man könnte auch an dem schlappen Giebelumriß und dem durchhängenden und unmotiviert unterbrochenen Gesims ansetzen. Die zweite Motivgruppe ist mit den aus der Fläche gedrehten seitlichen Kolossalpilastern von der Münchener Asamkirche vertraut. Sie ist hier um Prägnanz und Zusammenhang gebracht, so daß sich der Eindruck aufdrängt, ein Entwurf Egid Quirin Asams wäre von fremder Hand weitgehend umgearbeitet worden. Da die Umsetzung den Charakter einer Asamfassade offenkundig keineswegs tilgen will, sondern ihn nur verdirbt, liegt der Gedanke nahe, daß die Änderungen durch den hinter der Fassade liegenden Raum bedingt sind.

Der ovalisierende Grundriß läßt nicht ahnen, was für ein unfreundlicher Raum die Vorhalle ist, unproportioniert und finster. Der Rückblick aus dem Schiff zeigt darüber keine geringere Mißproportion. Da die Brüstung der unteren Empore zudem die Großgliederung des Hauptraums unschön überschneidet, hat Erika Hanfstaengl sie für später oder zumindest stark verbreitert gehalten.[49] Eine Zurücksetzung der unteren Brüstung auf die Linie der oberen erbrächte einige Verbesserung, doch bliebe bei dieser einfallslos konsequenten Fortführung der Oratorienniveaus der Mißklang der Proportionen erhalten, der diesem Bau nicht angemessen ist. Dagegen würde eine Entfernung des gesamten Ärgernisses ein ungestaltetes Loch ergeben. Nachdem wir die oberen Oratorien als nachträgliche Beifügungen während des Rohbaus erwiesen haben, bliebe die Lage der oberen Empore als einzige unmotiviert. Die untere – mit geringerer Tiefe – wäre zwar begründet, beließe aber das un-

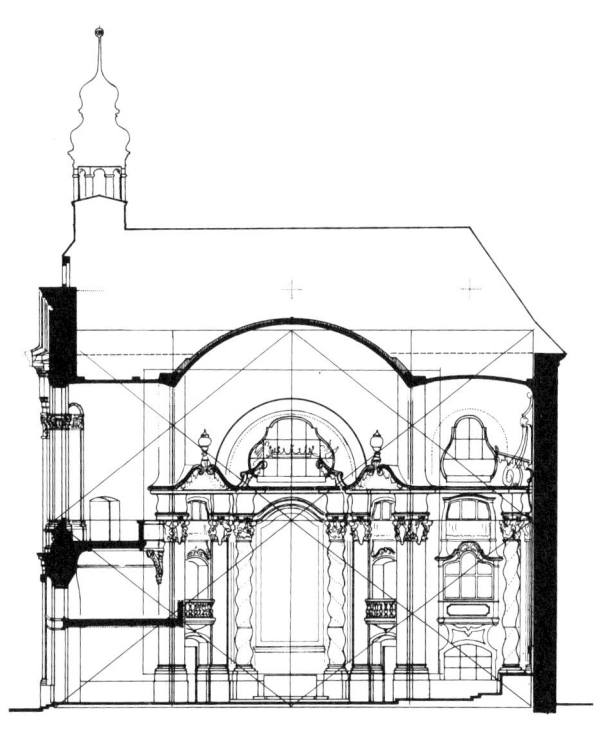

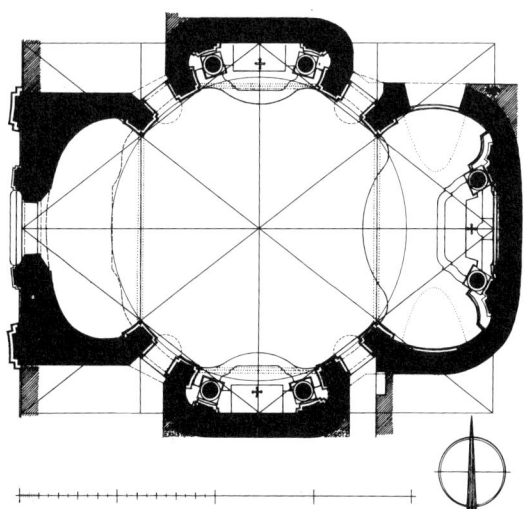

*Straubing, Ursulinenkirche,
Grundriß und Längsschnitt,
Proportionsstudien von Ernst Götz*

erfreuliche Entrée; die Höhe, die unten fehlte, wäre oben zuviel. Verzichten wir also auf beide Emporen.

Wie würde ein kultivierter Barockarchitekt unter den gegebenen Bedingungen die Orgelempore anlegen? Wir kennen den Entwerfer, wir wissen, daß ihm die Münchener Damenstiftskirche vorbildlich war und daß er die Fassade in Anlehnung an die seiner Eigenkirche St. Johann Nepomuk gestalten wollte. Gegeben sind uns durch die bestehende Fassade einige Höhenmaße. Bekannt sind uns einige Gepflogenheiten. All dies zusammengenommen, ergibt sich eine Rekonstruktion von selbst: eine Empore, deren Brüstungsoberkante am Fußpunkt der Kapitelle liegt, die von zwei kleinen Säulen getragen sowie von gedrückten Bögen und sehr flachen Gewölben unterfangen wird – wie in der Damenstiftskirche – und deren Brüstung zurück- und in der Mitte wieder vorschwingt – wie die Altarraumstufen. Wenn diese Rekonstruktion dem Mittelgewölbe der Vorhalle einen Kreis zuweist und das verglaste Tympanon des Portals einen Lichtakzent beisteuert, so mag dies als Bestätigung gelten.

Das Abgehen von der Höhe der benachbarten Oratorien wäre ungewöhnlich, doch war es auch unumgänglich, sollte der Westarm architektonisch gestaltet werden. Johann Michael Fischer wird sich später bei einem Entwurf für Ottobeuren ebenso verhalten.[49a] Über die Unterbringung einer Stiege von dem einen zum anderen Niveau brauchen wir uns keine Sorgen zu machen. Dagegen soll betont werden, welchen Gewinn dem Eintretenden die Rahmung des Blickfeldes durch Säulen gebracht hätte, durch Bauglieder, die sich ihm an den Altären in gesteigerter Form darbieten. Übertragen auf den Grundriß, hat dies eine ornamentale Dimension.

Der Orgelraum bedarf in den ausgeführten Proportionen eines Mittelakzents, ähnlich der erneuerten Orgel, die die alten Schleierbretter weiterverwendet. Entsprechend der rekonstruierten Orgelempore gestreckt, ist das offene Mittelfenster, flankiert von einem wie in der Münchener Asamkirche geteilten Orgelwerk, das das Aussetzen des Gebälks kaschiert, bestens vorstellbar und ordnete sich dem Gesamtraum zu. Man kann sich unsere Rekonstruktionsvorstellung durch den Eingangsraum des Würzburger Käppeles vergegenwärtigen, wenn man die Lichtverhältnisse der Münchener Asamkirche zugrunde legt. Kehren wir im Blick auf die Fassade die Argumentation um. Die Klosterfrauen bauten, ihr Erziehungsinstitut war gefragt, ihre Wachstumsprognosen waren mehr als erfreulich – demgemäß legten sie den Ton auf optimale Nutzbarkeit der neuen Klosterkirche und vernachlässigten den Kunstverstand: Zufügung oberer Oratorien, doppelte Westempore, deshalb ein mittleres Orgelwerk und seitliche Fenster.

Gehen wir in Straubing von den Restbeständen der Fassade der Münchener Asamkirche und von den Überlegungen zum Westraum aus, so können wir für die Rekonstruktion des ursprünglichen Fassadenentwurfs zuerst die Fenster-Dreiergruppe streichen: ein Fenster mit eingestellten Säulen, neben dem Portal zumindest Halbsäulen; das Fenster flankiert von Pilastern, deren Schweifgiebel wie bei St. Johann Nepomuk das im ganzen abschwingende Gebälk überschneidet. Neben den Portalsäulen dürfen wir – unter den Fensterpilastern – bis zur Sockeloberkante ausschwingende Vorlagen annehmen, die auf den unten ausschwingenden Hochaltar vorbereiten. So weit läßt sich der ursprüngliche Fassadenentwurf durchaus skizzieren, jedoch nicht so weit präzisieren, daß man die Skizze dem Publikum darbieten dürfte. Waren die Kolossalpilaster wirklich nach außen gedreht? War die

Fassade wirklich plan? Wir bezweifeln es. Wir nehmen an, daß eine Stuckfassade wie in München geplant war, und verzichten auf weitere Versuche.

Der ursprüngliche Fassadenentwurf für die Ursulinenkirche stellt sich uns als eine Reduktion der Münchener Asamkirchen-Fassade dar. Gut! Aber ob die Reduktion ein neues Gedicht ergab, das können wir nicht entscheiden. Die Rekonstruktionen zum Innenraum hielten sich im Bereich der Prosa. Eine Fassade Egid Quirin Asams ist ein Ausdrucksgebilde wie ein Hochaltar. Das ist Lyrik, da ist Zurückhaltung geboten. Ahnte der Künstler, was auf ihn zukam, als ihm die Oberin von Empach einen wahrscheinlich diplomatisch verklausulierten Brief über die Schwierigkeiten des Maurerpaliers bei der Einfügung der zusätzlichen oberen Oratorien schrieb? Vielleicht war sein Kreuzweh ein psychosomatischer Hexenschuß. Gegen Vertreter der Nützlichkeit läßt sich eine Fassade von der Art jener der Münchener Asamkirche nicht verteidigen. Auch die kleinste Änderung ruiniert sie. Es ehrt den Bauführer, daß er den Architekten alarmieren ließ. Ebenso verständlich ist es, daß Egid Quirin Asam vor dem, was man Realität nennt, das Handtuch warf. Er kämpfte nicht auf verlorenem Posten, sondern konzentrierte seine Kräfte standhaft und erfolgreich auf den Altarbau.

Das von Ernst Götz festgestellte, die Proportionen regulierende Konstruktionsschema erhellt aus seinen hier beigegebenen Zeichnungen. Dorith Riedl hat sich näher damit beschäftigt. Die von ihr ermittelten absoluten Maße – Länge 80 Fuß, Breite 60, Kreisdurchmesser 50 und Kuppelhöhe 60 – überzeugen.[50]

Die Kirche der Benediktinerabtei Frauenzell

Die Gepflogenheit, die Kirche des östlich von Regensburg gelegenen Klosters Frauenzell in Büchern über die Kunst der Brüder Asam zu übergehen, ist nicht ganz unverständlich. Der Kirchenraum besitzt zwar eine Stuck- und Freskenausstattung von Asamschülern, vermag aber nicht den vollen, einheitlichen Klang zu geben, den wir von Werken des Brüderpaares selbst gewöhnt sind. Zudem sind die auf die Proportionen der Architektur abgestimmten Nebenaltäre nicht mehr zustande gekommen. In einem Buch über die Asams als Architekten muß die überaus qualitätvolle Architektur des Innenraums dagegen besprochen werden. Den Ausweg, mit Hinweis auf die neueste Untersuchung, die die Autorschaft eines der Brüder an dem bestehenden Bau mit beachtlichen Gründen bestreitet, die Diskussion abzubrechen, wollen wir nicht nehmen, denn die beachtlichen Gründe müssen nicht zwingend sein. Der jämmerliche Archivalien- und zweifelhafte Bildbestand reicht für eine Klärung nicht aus; feste Ergebnisse wären wohl durch ein Ergraben der Fundamente des mittelalterlichen Vorgängerbaus möglich. Wenn hier einerseits die für die Asams negative Argumentation referiert und andererseits die einzelnen Argumente erschüttert werden sollen, ohne daß es zu ihrer Widerlegung und zu einem für die Asams eindeutig positiven Ergebnis kommen wird, so zielt dieses Verfahren darauf, die Frage weiterhin offenzuhalten. Der Rang des Münchener Brüderpaares gebietet es, die Chance, in der Kirche von Frauenzell doch noch eine neue Facette ihres Schaffens zu erkennen, nicht vorzeitig auszuschließen.

Das Kloster erwuchs aus einer 1312 gegründeten Einsiedelei, die 1320 die Benediktinerre-

Frauenzell, Darstellung des neuen Klosters mit der noch zu bauenden Kirche, Ölgemälde von 1743 im Pfarrhof, Ausschnitt

gel erhielt und 1351 zum Priorat erhoben wurde.[51] 1424 gelang der Aufstieg zur Abtei. Die Reformation unterbrach 1522 das Klosterleben für sechs Jahrzehnte; 1590 wurde Frauenzell abermals Abtei. Der Anlauf zu gewissem Wohlstand erlitt 1632–1634 Rückschläge durch zweimaliges Auftauchen der Schweden. 1722–1735 wurde das Kloster neu gebaut. Die Errichtung einer neuen Kirche blieb wie öfters die letzte Aufgabe. Die Säkularisation brachte am 21. März 1803 das Aus für die Benediktinergemeinschaft; die Klosterkirche wurde Pfarrkirche.

Die nur selten angezweifelte Zuschreibung der Kirchenarchitektur an einen der Asams stützt sich hauptsächlich auf eine Stelle der Klosterchronik von Korbinian Kugler, die mit dem Tod des Verfassers 1737 endet, aber 1740 aus dem Lateinischen wörtlich ins Deutsche übertragen und um einen „Zupaß" bis 1747 erweitert wurde. Am 11. Juni 1737 starb Abt Benedikt I. Eberschwang, der 1721 die Regierung angetreten, im folgenden Jahr den Neubau des Kloster begonnen und schließlich den Kirchenneubau in die Wege geleitet hatte. Der Passus der übersetzten Chronik-Fassung berichtet, daß Abt Benedikt sich daran machte, „berümtiste vortrefflichste künstler H. von Asam und andere verständigste baumayster zue consultiren [...] wie er kunte mit der Zeit [...] ein herrl. schön kirchel erbauen".[52] Diese Konsultation erfolgte 1736, und im folgenden Jahr wurde der Grundstein zum Neubau gelegt. Die Erwähnung des oder der – das geht aus dem Text nicht eindeutig hervor – „H. von Asam" läßt einen Asam als Gewinner der Planungskonkurrenz erscheinen, zumal ein im Pfarrhof von Frauenzell aufbewahrtes Ölgemälde mit der Darstellung der bereits vollendeten und noch auszuführenden Baulichkeiten eine Kirche mit einer an Weltenburg anschließenden Fassade und Asamfenstern zeigt. Da der Augenzeuge Kugler weiterhin berichtet, Abt Benedikt habe nach der Verlegung des Friedhofs zu der 1621–1623 südöstlich des Klosters erbauten Dreifaltigkeitskirche „in den alten frythof mit aigener hand den grund zur neun klosterkirch ausgesteckt, und yber 21 werckschuch schweristen rauchen stein-stucken die grundstain von der letzten Zellen der Infirmaria [Krankenhaus] biß an das erste fenster des brau- und unter gasthauß heraus zu mauern befördert",[52] schien der Weg frei, im bestehenden Bau ein im einzelnen modifiziertes Asam-Werk zu erblicken. Die Annahme der Modifizierung legte die durch Abtswechsel und die Auswirkungen des Österreichischen Erbfolgekriegs (1740–1748) bedingte Bauunterbrechung bis 1747 sowie das Fehlen der 1743 noch dargestellten ornamentalen Asamfenster im Kirchenraum nahe.

Nachdem 1931 Clement Schinhammer Johann Michael Fischer in Erwägung gezogen und zehn Jahre später Norbert Lieb an Ignaz Anton Gunetzrhainer, dann aber auch an eine Mitwirkung Leonhard Matthäus Gießls gedacht hatte,[53] führte Susanne Dinkelacker 1982 neben stilistischen auch quellenkundliche und bauarchäologische Gründe gegen die Asams ins Feld. Ihre These lautet: 1737 wurde zwar nach einem Asam-Plan das Fundament der südlichen Kirchenlängsmauer gelegt, 1747 jedoch kam ein gänzlich neuer Entwurf zum Zuge, und von dem bereits vorhandenen Fundament wurde lediglich der mittlere Abschnitt verwendet, während die für die Raumbildung entscheidende Fundierung erst nach dem in diesem Jahr erfolgten Abbruch der alten Kirche erfolgen konnte. Der Wening-Stich von 1726 zeige die veränderte mittelalterliche Kirche, und das Gemälde von 1743 gebe nicht den Außenbau der bestehenden wieder. Die Raumbildung versteht die Autorin im Rahmen einer erneuten, an Kilian Ignaz Dientzenhofer orientierten Phase des Böhmisierens, von der auch einige weitere Objekte zeugen. Sie hält es für möglich, daß der endgültige Plan von Johann Michael Fischer stamme, aber durch den örtlichen Bauführer, der die Detailrisse verfertigt habe, verändert worden sei. Aus den Argumenten wird zügig gefolgert. Es könnte so gewesen sein. Lediglich eine „atmosphärische Störung" läßt Zweifel anmelden. Zunächst sei auf die bauarchäologischen und bildlichen Argumente eingegangen und der Auseinandersetzung mit dem stilistischen Befund die Betrachtung des Baues selbst vorausgeschickt.

Dinkelacker bemerkte in der Unterkirche im Bereich des gerade verlaufenden Mauerstücks der Südseite nördlich der barocken Grundmauer einen Fundamentrest von erheblicher Breite und deutete ihn als Überbleibsel der Südmauer der mittelalterlichen Kirche. Sie nimmt an, daß diese südlich des noch bestehenden Turms ihre Nordmauer hatte, daß also der Turm neben der Kirche erbaut worden war. Darüber hinaus vermutet sie, daß sich in dem schrägen Stückchen der Außenwand des heutigen Chors, ehe diese sich rundet, ein Fragment des gotischen Chorpolygons erhalten habe. So sehr diese schräge Wandführung auch verwirrt, so wenig kann man sie in diesem Sinne deuten, denn wir erhielten einen unartikulierten Raum mit einem nur geringfügig eingezogenen Chor von ganz ungewöhnlicher Breite. Die Kenntnis des gotischen Baues beruht hauptsächlich auf Nachrichten des frühen 17. Jahrhunderts, die von Verbesserungen der Kirche durch Ausbrechen eines Lettners und seitlicher Emporen sprechen. Diese Seitenemporen bezeugen jedenfalls eine erheblich größere Breite des Laienhauses gegenüber dem Chor oder Altarhaus. Wir können nicht einmal entscheiden, ob der 1357 von einem Chorherrn der Alten Kapelle in Regensburg finanzierte Turm der Kirche nördlich beigefügt, westlich vorgesetzt oder integraler Bestandteil eines Kirchenneubaus war.

Felix Mader schloß aus den Umbaunachrichten auf einen einschiffigen mittelalterlichen Bau. Er nahm an, daß es sich nicht mehr um die 1325 geweihte Zelle, sondern um einen Neubau nach der Erhebung zum Priorat im Jahre 1351 handelte. In jedem Fall dürfte es eine bescheidene Anlage gewesen sein. Da ein gewisser baulicher Zusammenhang zwischen Turm und Kirche wahrscheinlich ist, darf man bezweifeln, daß der von Dinkelacker beobachtete Fundamentrest zur südlichen Kirchenaußenmauer gehörte; eher möchte man ihn mit einer seitlichen Erweiterung der alten Kirche in Verbindung bringen. Auf dem Grundriß des Neubaus fällt das übermäßig dicke Mauermassiv zwischen Altarhaus und Sakristei auf: Darf man folgern, daß die Südwand der Sakristei Teile der einstigen Chornordmauer enthält? Falls dies so ist, müßte man die Nordmauer des Kirchenschiffs an der Stelle der heutigen Kreuzgangsmauer vermuten. Der Turm wäre dann in die Nordwestecke des Schiffs eingestellt gewesen. Geht man davon aus, daß das 1737 gelegte südliche Fundament später weiterverwendet wurde, daß also seine Aussteckung – nach Abbruch eines Anbaus – nicht durch die alte Kirche behindert worden war, so ließe sich diese mit einem relativ schmalen Chor und einem um Turmbreite ausspringenden Schiff rekonstruieren.

Die Rekonstruktion Dinkelackers, die die Nordmauer des Kirchenschiffs südlich neben dem Turm und die Südmauer über dem erwähnten Fundament annimmt, erhält eine Stütze durch den Stich im 1726 herausgekommenen vierten Band von Wenings Topographie. Er zeigt eine neben dem Turm postierte Kirche mit einem nur geringfügig eingezogenen Chor. Rundbogenfenster, Pilastergliederung und Volutengiebel der Fassade könnten auf eine Modernisierung des mittelalterlichen Baues hinweisen. Da jedoch 1722 der Neubau des Klosters eingesetzt hatte, ist mit dem Vorliegen eines Gesamtplans zu rechnen, auf dem der Standort einer neu zu erbauenden Kirche bereits fixiert war. Bei der dargestellten Kirche könnte es sich also auch um einen Neubau handeln, der aus Gründen der Fassadenbildung neben den Turm nach Süden verschoben werden sollte und auf der Ansicht – vor Beginn der detaillierten Planung – in ganz allgemeinen Barockformen gegeben ist. So sehr sich Bilddokument und Fundamentbefund zu bestätigen scheinen, so wenig ist eine solche Verbindung der beiden Indizien zwingend.

Diese Vorbehalte gelten auch gegenüber dem Ölgemälde aus dem Jahre 1743, als der Kirchenbau ruhte. Wenn der recht naive Maler das bereits stehende Kloster mit Freude am Detail wiedergibt, so ist die Treue bei der Darstellung der Kirche dennoch zweifelhaft. Chor oder Altarhaus ist nicht zu erkennen. Das Kirchenschiff weist in seiner geraden Oberwand drei unten ausschwingende Fenster mit geschweiftem Kron- und horizontalem Fußgesims auf. Die Fassade spannt sich plan zwischen Brauhaus und Turm, eine Ecke des Dreiecksgiebels überschneidet letzteren. Die Gliederung der Vorderfront wiederholt vereinfacht jene der Weltenburger Kirche, ohne daß die Qualität der Umsetzung eine Beschreibung erkenntnisfördernd machte. Hat der Maler seiner Darstellung eine konkrete Asam-Planung zugrunde gelegt oder hat er lediglich signalisieren wollen, daß auch Frauenzell in absehbarer Zeit eine Kirche ähnlich der Weltenburger besitzen würde? Gab es etwa überhaupt noch keinen Fassadenentwurf, so daß der Maler darauf angewiesen war, sich beim Weltenburger Schwesterbau zu bedienen? Insbesondere die Langhausfenster scheinen auf ein solches Verfahren hinzudeuten: Ihr Fußgesims wirkt wie ein Reststück des dortigen umlaufenden Tambourgesimses; auch wäre die plastische Fensterrahmung gegen den Klosterhof zumindest ungewöhnlich. Auch der Umstand, daß die Kirchenfassade des Bildes die Gruppe der drei oberen Fenster aufnimmt, die ausgeführte Fassade aber die untere Weltenburger Gruppe mit dem Portal paraphrasiert, könnte im Sinne eines selbständigen Anknüpfens – ohne eine Fassadenplanung von einem der Asams – gedeutet werden. Das Gemälde bezeugt den Willen zu einem Asam-Bau, darf als Dokumentation einer Asam-Planung jedoch nur mit äußerster Vorsicht gewertet werden.

Die ausgeführte Fassade paßt in ihrem ländlichen Charakter gut zu dem mittelalterlichen Turm und antwortet auf dessen horizontalisierende Schichtung mit einer Überbetonung der Vertikalen. Während der Turm jedoch mit einfachsten Mitteln bauliche Notdurft befriedigt, ist die Barockfassade in ihrer Motivik keineswegs anspruchslos. Es mangelt allerdings an einem Zusammenschluß der Elemente, an architektonischem Gefühl. Das Auffangen der Vorwölbung durch konkave Eckpilaster wirkt ebenso schwächlich wie ihre Betonung durch den Schweifgiebel der Mittelachse. Die Wiederholung des im Giebelfeld verständlichen Baßgeigenfensters in der hohen Mittelnische erscheint unmotiviert, zumal eine solche ornamentale Fensterform im Innenraum nicht auftritt – das Fassadenfenster bleibt hinter der Orgel verborgen. Auf der zerdehnten und streckenweise leeren Kirchenfront gibt sich das breite Sandsteinportal ebenso als Versatzstück wie die seitlich zugeordneten übergiebelten Marmorepitaphien. Der Steinmetz hatte im Umkreis des auch in Regensburg tätigen Linzer Baumeisters Johann Michael Prunner offenkundig eine bessere Schulung erfahren als der Entwerfer der gesamten Fassade. Dieser hatte zwar bei den Asams oder – worauf die Mittelnische deutet – bei Johann Michael Fischer einiges aufgeschnappt, das Geheimnis prägnanter Artikulation blieb ihm jedoch verborgen.

Das Innere der Frauenzeller Klosterkirche bietet einen Raum von hoher architektonischer Kultur, einen Raum, den man nicht nur im Rahmen der altbayerischen Barockkunst, sondern auch im internationalen Vergleich als einen der entspanntesten und glücklichsten bezeichnen kann. Acht Arkaden umgrenzen das ovalisierend geweitete Schiff. Zwischenjoche vermitteln zum kreisrunden Altarhaus bzw. zur querovalen Vorhalle, über der sich auf der Orgelempore der Psallierchor befindet. Konische Führung der Seitenwände bindet die Zwischenjoche optisch ans Schiff und setzt sie in Entsprechung zu dessen Altarkonchen. Sie gibt dem klar artikulierten Raumgefüge etwas Gleitendes, das durch die asymmetrische Anlage der vorderen und hinteren Kapellen, die sich einer entschieden ovalisierenden Einschwingung verweigern, gefördert wird.

Die Stützen können als eine Umsetzung von Wandpfeilern zu differenziert durchgestalte-

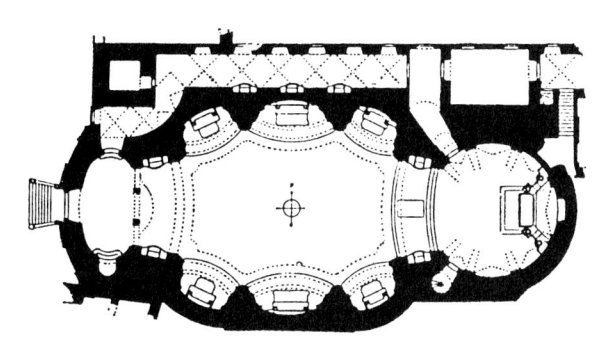

Frauenzell, Klosterkirche, Grundriß

ten Mauerkeilen verstanden werden. Sockel, Basis und Gebälk sowie ein Rundstab in Höhe des Kapitellfußes geben den Mauerkeilen pfeilerähnliches Aussehen, zumal die Abrundung des Sporns zwischen den gekehlten Pilastern Festigkeit suggeriert. Ein breiter konkaver Abschnitt bildet die „Seitenwände" der Kapellen und unterfängt deren Wölbschalen. Dem Absatz gegen die glatten, gerundeten Konchenrückwände korrespondiert ein Absatz gegen die Pilaster, und diese Abgrenzung wird im Gewölbe folgerichtig aufgenommen. Diese Abhebung ordnet Pilaster und Gurte dem weiten Gewölbe des Hauptraumes zu und läßt sie als dessen Stützen sehr leicht erscheinen, da die Abrundung des Mauerkeils nicht das Gewölbe bedient, sondern Platz für Figuren und Vasen bietet. Bei aller Differenziertheit der Durchbildung ist das Verhältnis der Teilräume zueinander höchst elegant geregelt, ohne jede Aufdringlichkeit architektonischer Finesse, wie sie etwa der große Münchener Baumeister Johann Michael Fischer gerne zur Schau stellt.

Dennoch ist die mehrfach hervorgehobene Nähe des Frauenzeller Kirchenraumes zu Joh. Michael Fischer, der in vielen Hauptwerken auch gezeigt hat, daß er der Gesamtwirkung zuliebe auf Klügeleien durchaus verzichten kann, keineswegs zu bestreiten. Diese Nähe zu Fischer ließe sich aber auch mit der Asam-These vereinbaren. Bei der Verfolgung dieser Spur seien zunächst Bauten aufgelistet, die für Frauenzell eine gewisse Vorbildlichkeit besitzen und Cosmas Damian Asam intim bekannt waren:
- Klosterkirche *Ensdorf*, Oberpfalz. Baubeginn 1695; Baumeister wahrscheinlich Wolfgang Dientzenhofer; 1714–1716 von C.D. Asam freskiert.
- Klosterkirche *Weltenburg*. Baubeginn 1716; Architekt C.D. Asam.
- Klosterkirche *St. Anna im Lehel, München*. Baubeginn 1727; Baumeister Johann Michael Fischer; 1730 Hauptraumfresko von C.D. Asam.
- Klosterkirche *Osterhofen*. Baubeginn 1726; Baumeister Johann Michael Fischer; 1729–1732 Fresken von C.D. Asam.
- Klosterkirche *Břevnov* vor Prag. Baubeginn 1709; Baumeister Christoph Dientzenhofer; um 1727 freskiert C.D. Asam einen Saal im Kloster, das er 1733 anläßlich der Freskierung der schlesischen Propsteikirche Wahlstatt, die wie Břevnov mit der Abtei Braunau verbunden ist, wieder aufsucht.
- Propsteikirche *Wahlstatt*, Schlesien. Baubeginn 1727; Baumeister Kilian Ignaz Dientzenhofer; 1733 Fresken von C.D. Asam.

Wenn Egid Quirin in Weltenburg, München und Osterhofen auch beteiligt war, wird hier dennoch nur der Bruder hervorgehoben; die böhmisch-schlesischen Aufträge gingen allein an den Freskanten.

Die Ähnlichkeit der grundrißlichen Disposition der Frauenzeller Kirche mit jener der Weltenburger liegt ebenso auf der Hand wie die Nähe des Raumes zu Fischers Klosterkirche St. Anna in München. Herbert Schindler hat mit Verweis auf diese beiden Kirchen eine Zuschreibung an die Asams zu erhärten versucht. Der Hinweis auf die altertümliche Kirche von Ensdorf erfolgt im Hinblick auf den in Frauenzell mitschwingenden Wandpfeilercharakter. In Osterhofen konnte die feinfühlige Regulierung des Verhältnisses von Haupt- und Nebenräumen durch Differenzierung der Pfeiler und Gewölbe studiert werden. Für die Bildung der Stützen war wohl Břevnov anregend, während für die Gewölbebildung und den damit zusammenhängenden Gesamteindruck die Kirche von Wahlstatt entscheidend gewesen zu sein scheint. Während dort jedoch ein in Typenvielfalt und Stilvariationen versierter

Frauenzell, Klosterkirche, Fassade

Baumeister mit kraftvollem architektonischen Instrumentarium arbeitete, sind die baukünstlerischen Mittel in Frauenzell reduziert und dem leichten Schwingen untergeordnet. Diese Anmerkungen sind zugegebenermaßen recht allgemein gehalten, da auch schärfere Vergleiche Cosmas Damian Asam stilistisch nicht als Entwerfer dingfest machen könnten. Es ergibt sich lediglich der Blick auf ein Umfeld, in dessen Zentrum er biographisch steht.

Eine andere Überlegung könnte die Schlinge um Cosmas Damian fester ziehen. Wenn 1737 Fundamente für einen Asam-Bau gelegt wurden und der ab 1747 ausgeführte Bau tatsächlich im Grundriß der Kirche des benachbarten Klosters Weltenburg ähnelt, fällt es schwer zu glauben, daß dem Ausbau ein völlig neuer Plan zugrunde gelegt wurde. Denn Abt Benedikt I. Eberschwang hat sich doch sicher deshalb an die „Firma Asam" gewandt, weil er tief beeindruckt war von dem Weltenburger Werk, dessen Bauherr, Abt Maurus Bächel, 1690 in Frauenzell die Profeß abgelegt hatte und hier während der nächsten zwei Jahrzehnte zum Prior aufgestiegen war. Es ist sehr unwahrscheinlich, daß er ein Fundament nach einem Asam-Entwurf legen ließ, der mit Weltenburg nichts zu tun hatte. Noch un-

Wahlstatt, Inneres der 1723/27–1731 von Kilian Ignaz Dientzenhofer erbauten und 1733 von Cosmas Damian Asam freskierten Propsteikirche

wahrscheinlicher ist es, daß sein Nachfolger dann ein neues Fundament nach dem Entwurf eines fremden Baumeisters legen ließ, der erhebliche Ähnlichkeit mit dem Grundriß der Weltenburger Kirche hat. Gegen einen neuen Riß spricht auch entschieden der Qualitätsunterschied zwischen Fassade und Innenraum. Der Entwerfer des Innenraums hätte mit seinem Artikulationsgeschick gewiß eine bessere Fassade zuwege gebracht. Warum aber sollte 1747 ein neu beigezogener Planer des Innenraumes vom Entwurf der Fassade absehen, da doch der zügige Bau der Kirche beabsichtigt war und auch durchgeführt wurde – die Verzögerung der Weihe bis 1795 hängt mit der Altarausstattung zusammen. 1736 dagegen hätte sich Cosmas Damian Asam mit der Ausarbeitung des Fassadenrisses ruhig etwas Zeit lassen können, da zunächst die alte Kirche noch abgebrochen werden mußte. Auch in Welten-

Frauenzell, Klosterkirche, Inneres

burg war er mit der Fassade nachlässig gewesen. Das über sechs Meter, also bis über den Boden der mit einer Gruft versehenen Kirche, herausgemauerte Fundament der Südseite dürfte beim Ausbau mit dem ursprünglichen Entwurf beibehalten worden sein.

Von den Brüdern Asam kommt für den Bau der Frauenzeller Kirche nur Cosmas Damian in Frage. Denn mit der Entwicklungslinie Egid Quirins hat das Bauwerk keinen Zusammenhang. Wollen wir aber auf einem Entwurf von 1736 beharren, so trennte ihn ein Zeitraum von zwei Jahrzehnten vom Entwurf für die Weltenburger Kirche, ein Zeitraum, in dem Cosmas auf architektonische Entwurfstätigkeit verzichtet und das Feld seinem Bruder überlassen hatte. Diese lange Spanne der Enthaltsamkeit kann keineswegs von vornherein für das gänzlich andere Erscheinungsbild des Frauenzeller Raumes gegenüber dem Weltenburger verantwortlich gemacht werden. Können wir doch bei anderen Baumeistern beobachten, daß sich die Entwicklung in den Zeiten dicht folgender Aufträge, nicht aber in denen der Flaute vollzieht. Auch die veränderte Stillage kann nicht unbesehen ins Feld geführt werden, bleibt doch Dominikus Zimmermann in Günzburg 1736 dem von ihm verarbeiteten Vorbild Weltenburg viel enger verpflichtet. Cosmas Damian Asam war kein Baumeister im landläufigen Sinn. Er hat nicht nur die Bautätigkeit seines Bruders beratend und mitarbeitend verfolgt, sondern sich als Freskant mit den Werken unterschiedlichster Architekten intensiv auseinandersetzen müssen. Auch wo die Brüder gemeinsam ausgestattet haben, ist die Frage angebracht, ob nicht Cosmas die großen Züge der Konzeption erstellt hat, denn er hatte die größere Spannbreite, die stärkere Distanz und die lebhaftere Reaktion. Möglicherweise hat er nach Weltenburg auch deshalb auf die Planung von Kirchenbauten verzichtet, um sich diese Eigenschaften zu erhalten. Vielleicht war die Architektentätigkeit dem Freskanten hinderlich. Jedenfalls war er während der zwei abstinenten Jahrzehnte ständig mit Architektur befaßt. Deshalb erscheint es uns gut möglich, daß Cosmas Damian Asam 1736 für Frauenzell eine Kirche entworfen hat, die nur eine generelle Grundrißähnlichkeit mit Weltenburg aufweist, daß er Gedanken von Kilian Ignaz Dientzenhofer (Wahlstatt) und partiell von Christoph Dientzenhofer (Břevnov) aufgreift und die Architektur der Manier Johann Michael Fischers annähert.

Egid Quirin Asam hatte sich mit seiner Hauskirche nachdrücklich der Zweigesichtigkeit des anbrechenden Rokokos verweigert. Bei der Straubinger Ursulinenkirche, die kurz vor Frauenzell entworfen wurde, verzichtete er zwar auf den extremen Ausdruck seines persönlichen Bekenntnisses, doch war bei diesem Bau schon ein konzeptioneller Anteil Cosmas Damians anzunehmen. Sollte dieser als „Chef" in Frauenzell versucht haben, die „Firma Asam" endgültig für die seichten Gewässer des Rokokos wieder flott zu machen? Ein Interpretationsvorschlag.

Die Asams als Architekten und ihr Umfeld

Pater Karl Meichelbeck aus Benediktbeuern berichtet von Cosmas Damian Asam, er sei in Rom zum Architekten ausgebildet worden – „Roma in pictoria etiam architectonica arte singulariter et summa laude exercitato".[54] Diese Bemerkung in den Annalen der bayerischen Benediktinerkongregation erfolgte unter dem Jahr 1718 mit Bezug auf die Korbinianskapelle in Weihenstephan vor Freising. Obwohl Meichelbeck Cosmas Damian recht gut kannte und sich Anfang 1713 auch mit ihm in Rom getroffen hatte, muß man die Stelle nicht wörtlich nehmen. Höchstes Lob hatte der Maler mit dem ersten Preis der ersten Malklasse für eine Zeichnung erhalten. Wenn der Chronist malerische und architektonische Ausbildung auf eine Stufe stellt, so deshalb, weil es um einen Bau geht und er von dem Unternehmen Weltenburg wußte. Gewiß hat Cosmas die römische Barockarchitektur studiert, sicher hat er im Zusammenhang mit der Quadraturmalerei das Zeichnen von architektonischen Entwürfen geübt. Eine direkte baumeisterliche Ausbildung darf man bezweifeln. Baupraktiker war er ebensowenig wie sein Bruder, in dessen Testament von 1745 drei nicht näher bezeichnete Architekturbücher auftauchen. Man darf die Brüder als Autodidakten auf diesem Gebiet verstehen, als geniale Dilettanten – ohne jeden negativen Beigeschmack. Vor einer näheren Kennzeichnung sind noch einige bisher nicht besprochene Werke aufzuführen.

Nach der Rückkehr Cosmas Damians aus Rom bewarben sich die Asams um den Ausbau der *Zisterzienserkirche Fürstenfeld* – vergeblich.[55] Den Zuschlag erhielt 1716 der Münchener Stadtmaurermeister Johann Georg Ettenhofer, der Nachfolger des verstorbenen Klosterbaumeisters Viscardi. Nach Fundamentierung des Chores und Grundsteinlegung im Jahr 1700 war der Bau wegen Finanzierungsengpässen und dem Spanischen Erbfolgekrieg eingestellt worden. Vorgegeben waren aber riesige Dimensionen und diese lassen das Bemühen der Asams um den Bau kurios erscheinen. Wie soll man sich einen Entwurf vorstellen? Man kann nur davon ausgehen, daß er großflächige Gewölbefelder für den Freskanten vorgesehen hatte. In der skurrilen Neuauflage der Münchener Jesuitenkirche, deren Wölbung offenbar noch während des Rohbaus durch seitliche Stichkappen, aus denen die dunklen oberen Emporen resultieren, aufgebrochen wurde, mußte sich Cosmas Damian später auf unmöglichen Malfeldern abplagen. Ohne weiteres einsichtig an diesem Bauprojekt ist nur die persönliche Verbindung zu Fürstenfeld, denn der Bruder Philipp Emanuel Asam war als Pater Engelbert Mitglied des Konvents. Der Ehrgeiz und das Selbstvertrauen des „Römers" Cosmas Damian waren maßlos.

Im Fall Fürstenfeld kommt als Entwerfer des aus 100000 Gulden veranschlagten Baus wohl nur Cosmas Damian in Frage. Anders verhält es sich mit der Kapelle über der Korbiniansquelle, die das Freisinger *Benediktinerkloster Weihenstephan* 1718–1720 errichten ließ.[56] Meichelbeck erwähnt nur Cosmas, doch scheint er Egid überhaupt nicht so recht zur Kenntnis genommen zu haben. Die übrigen Quellen nennen beide an der Ausführung beteiligten Brüder. Wer der Entwerfer war, muß vorerst offenbleiben, da die Beschreibungen und zwei Darstellungen der Kapelle für eine solche Entscheidung zu vage sind. Die Sä-

Freising, Dom, großformatiger Stich des Inneren von Franz Joseph Mörl nach Cosmas Damian Asam

Freising, Dom, das 1723/24 von den Asams barockisierte Innere, in dem die Lichtregie die ▷ Freskenkonzeption beeinträchtigt

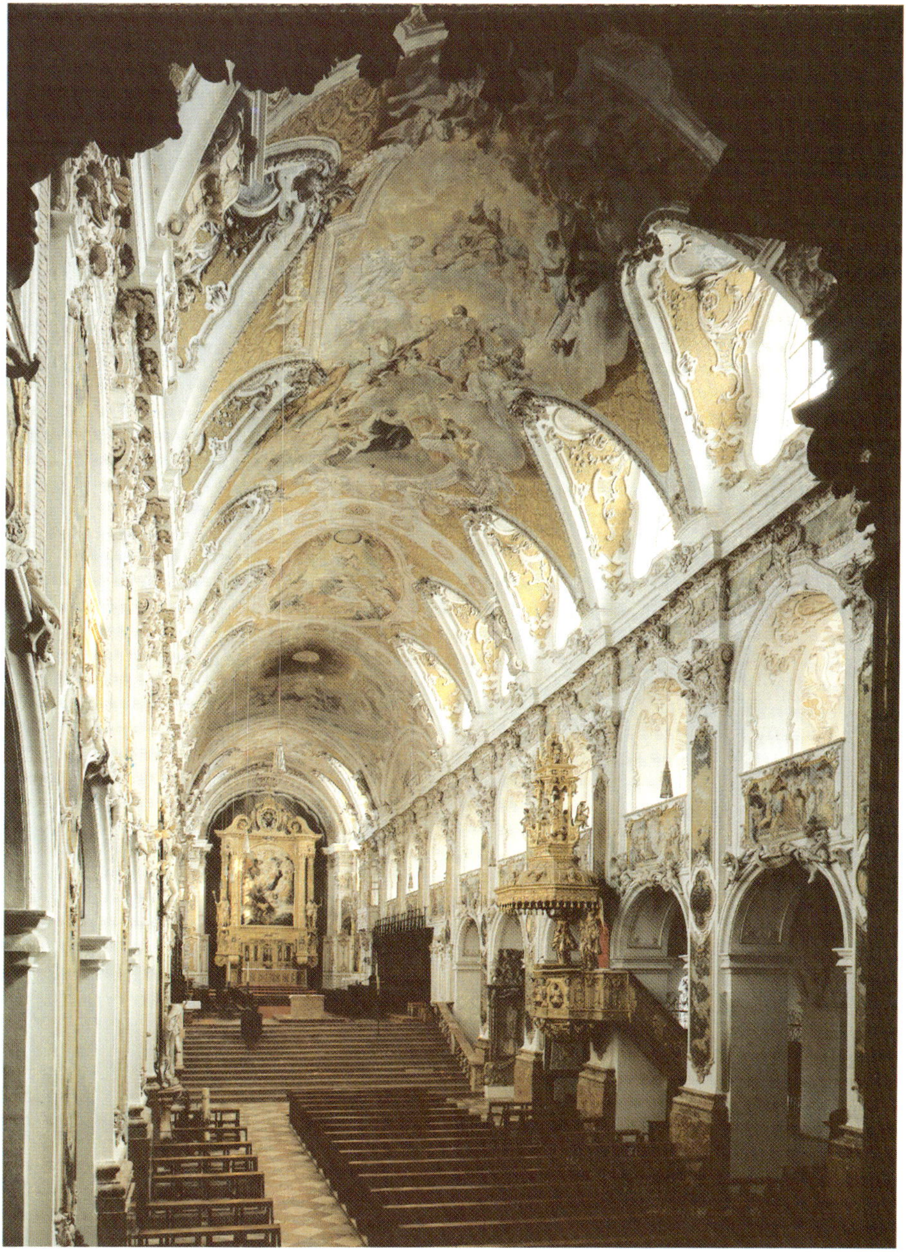

kularisation veranlaßte 1803 den Abbruch der Rundkapelle mit ihren beiden zuvor schon schadhaften Anbauten und schlug damit wahrscheinlich die empfindlichste Lücke in der Reihe der asamschen Bauschöpfungen. Der sehr kostspielige Zentralbau, von dem sich nur das Altarblatt in Rohr und zwei weitere Ölgemälde in Tittmoning erhalten haben, wäre zwischen der Kirche von Weltenburg und dem Schaubild der Thalkirchener Kapelle von höchstem Interesse. 1730 reichte einer der Asams in Konkurrenz mit Johann Michael Fischer einen Grundriß zum Neubau der Weihenstephaner Kirche ein.[57]

Zur Jahrtausendfeier im Jahr 1724 sollte der *Freisinger Dom* ein neues Gewand erhalten.[58] Für diese Aufgabe wurden die Asams engagiert, und es muß betont werden, daß sie nur etwa ein Jahr Zeit hatten zur Erledigung dieser überaus umfänglichen Aufgabe. Da an anderen Stätten Baumeister mit der Umgestaltung mittelalterlicher Bauten betraut wurden, ehe die Ausstattungskünstler in Aktion traten – wie etwa bei der Regensburger Benediktinerstiftskirche St. Emmeram –, gehört die Umgestaltung dieser Kathedrale zu unserem Thema. In dieser Kirche war es nie gelungen, einen früh vorgeprägten Raumcharakter abzuschütteln. Im Gegenteil, beim romanischen Neubau, bei spätgotischer Wölbung und bei dem erneuten Versuch zum Jubiläum von 1624 machte sich die Vorgabe der vorromanischen Fundamente nur umso mehr bemerkbar, da das vergebliche Bestreben ihrer Überwindung immer offenkundiger wurde. Einen gleichmütig zur Apsis ziehenden frühmittelalterlichen Bau greift man bei Umgestaltungen von oben, durch romanische, gotische oder barocke Gewölbe. In Freising hatte die Romanik Verzicht geübt und damit auch der Spätgotik das Gleichmaß empfohlen. Das gotische Gewölbe gestattete den Barockkünstlern – es eilte schließlich – auch nur das Abschlagen von Rippen und das Ausrunden von Spitzbögen; der Schlauch blieb. Darüber hinaus weist der Dom eine besondere Tücke auf: Zwischen Vorhalle und Chor senkt sich das Schiff erheblich ab, die Raumteilungen werden von unten gegeben – eine fatale Geschichte. Cosmas Damian versuchte es dennoch mit einer konventionellen Maßnahme. Er, der in Weingarten die gebaute und das System der Deckenmalerei sprengende Tambourkuppel desavouiert und der Kalotte hinter der Hochkuppel eine Tambourkuppel aufgemalt hatte, traute hier der Malerei einfach zuviel zu. Vor dem Altarbild Peter Paul Rubens', dessen Rang Cosmas klar war, wie man aus seinem korrespondierenden Fresko im Westen ersieht, bedurfte es einer Aufhellung, die durch eine vorgeschaltete Abdunkelung zu erzielen war. Ohne durch außen anstoßende Bauten dazu gezwungen zu sein, malte er eine Tambourkuppel in den dunkelsten Abschnitt des Gewölbes, meisterhaft in der Ausführung, aber völlig verfehlt in der Konzeption. In Erkenntnis dieses Mißgriffs ließ Cosmas von seinem Schwager Franz Joseph Mörl ein großformatiges Innenraumbild mit aufgerichteten Deckenszenen stechen, wie man sie von den jeweiligen Standpunkten durchaus erleben kann – ein Unikum, eine Sehanleitung. Zu- und Mißgriff in Freising gehen offenbar auf das Konto des Freskanten.

Unmittelbar nach Freising erhielten die Asams den Auftrag zur Ausstattung der *Benediktinerstifts- und Wallfahrtskirche Maria Einsiedeln* in der Schweiz, offenbar vermittelt über Weingarten. In Einsiedeln hatte der Konvent 1723 den Bau einer im Unterhalt während des Winters kostspieligen Tambourkuppel gegen den Willen des Architekten Caspar Moosbrugger, abgelehnt, der zwei Wochen danach starb. Im Ostjoch des Schiffs wurde dann eine unter dem Dach geborgene zitronenförmige Kuppel ausgeführt, deren Ansatz die Gebälkzone stört. Einen Maurermeister hätte diese Störung gewiß verunsichert.

Einsiedeln, Stifts- und Wallfahrtskirche, das 1724–26 von den Asams ausgestattete Schiff, in dem Cosmas Damian wahrscheinlich Gelegenheit hatte, die Wölbung der beiden östlichen Joche freskengerecht zu entwerfen

106

Dagegen war sie einem Künstler erträglich, der wußte, wie sie überspielt werden konnte, der vor allem wußte, welchen Vorteil die neue Kuppel der Präsentation des Freskos bieten konnte. Deshalb vermuten wir, daß Cosmas Damian Asam – unter dem Eindruck des Freisinger Mißgriffs – die freskengerechten Wölbungen der beiden östlichen Einsiedler Laienschiffsjoche entworfen hat.[59]

Zum 400jährigen Jubiläum der 1337 begründeten Wallfahrt holte man 1736 bei Egid Quirin Asam einen Entwurf für einen neuen Hochaltar und eine barocke Erneuerung des Chors der *Hl.-Grab-Kirche in Deggendorf* ein. Der Längsschnitt gestattet den Vergleich der architektonisch beherrschten Neugestaltung mit dem gotischen Bestand, der deckungsgleich auf der Rückseite des Blattes verzeichnet ist. Was sich im Gegenlicht auf einen Blick zeigt, wird hier in zwei Abbildungen vor Augen geführt. Dieses niederbayerische Projekt kam wohl aus Kostengründen nicht zur Ausführung.[60]

Um 1738 statteten die Asams die südliche Apsis des *Freisinger Doms* zu einer *Johanneskapelle* aus, deren Zentrum zwischen den beiden alten Patronen, dem Täufer und dem Evangelisten, dem neuen Heiligen Johann Nepomuk eingeräumt wurde.[61] Der von einer längsovalen Kuppel überwölbte Raum erhält von oben Licht aus einer runden Laterne, die blasse Erinnerungen an Weltenburg weckt. Das Glorienfenster ist Teil des schönen Altars, der in seiner Kompaktheit und in seinem Formenreichtum durch die glatten, von Pilastern gegliederten Wände gesteigert wird. Da die architektonische Ausgestaltung des Raumes ganz auf die Präsentation des Altars angelegt ist, darf man Egid Quirin als Entwerfer annehmen.

Sta. Maria de Victoria in Ingolstadt, der ehemalige Betsaal der Marianischen Studentenkongregation, der 1803 an die Marianische Bürgerkongregation vom Siege überging, wurde von Georg Dehio im Handbuch als Bau der Asams angesprochen und seither mit Mißtrauen betrachtet. Insbesondere das Äußere des 1732 errichteten Saales deutet in nichts auf einen der Brüder hin. Dagegen können wir annehmen, daß der Baumeister seine Planung mit Cosmas Damian Asam abstimmte, denn der völlige Verzicht auf architektonische Gliederung im Inneren wird durch das Riesenfresko, das Cosmas 1734 in nur zwei Monaten ausführte, motiviert. Bereits vor der Erstellung des Kastenraumes dürfte eine Vorstellung seiner Ausstattung dagewesen sein. Sonst wäre eine Innengliederung nach dem Beispiel des gut zwei Jahrzehnte älteren Münchener Bürgersaals plausibler, dessen zuvor unterteilte Decke erst 1773/74 von Martin Knoller mit einem Riesenfresko versehen wurde – nach Ingolstädter Vorbild. Wir bleiben also auch bei diesem Werk in einer Grauzone stecken.[62]

Trotz all dieser weiteren beachtlichen Leistungen können wir uns bei dem Versuch, den Charakter der asamschen Architektur einzukreisen, auf die Kirchen in Weltenburg, Rohr, München und Straubing sowie den Entwurf der Thalkirchener Kapelle beschränken. Waren die Asams überhaupt Architekten? Wenn wir ihre Werke mit dem Œuvre Johann Michael Fischers vergleichen, könnte man versucht sein, die am Ende dieses Buches gewiß etwas verwirrende Frage zu verneinen. Gestalter von Räumen um der Räumlichkeit willen

Deggendorf, Wallfahrtskirche zum Hl. Grab, Projekt Egid Quirin Asams für den Hochaltar und zum Umbau des Chors, 1736, lavierte Federzeichnung im Bayerischen Hauptstaatsarchiv München. (Die rückseitige Aufnahme des gotischen Chors ist hier seitenverkehrt abgebildet.)

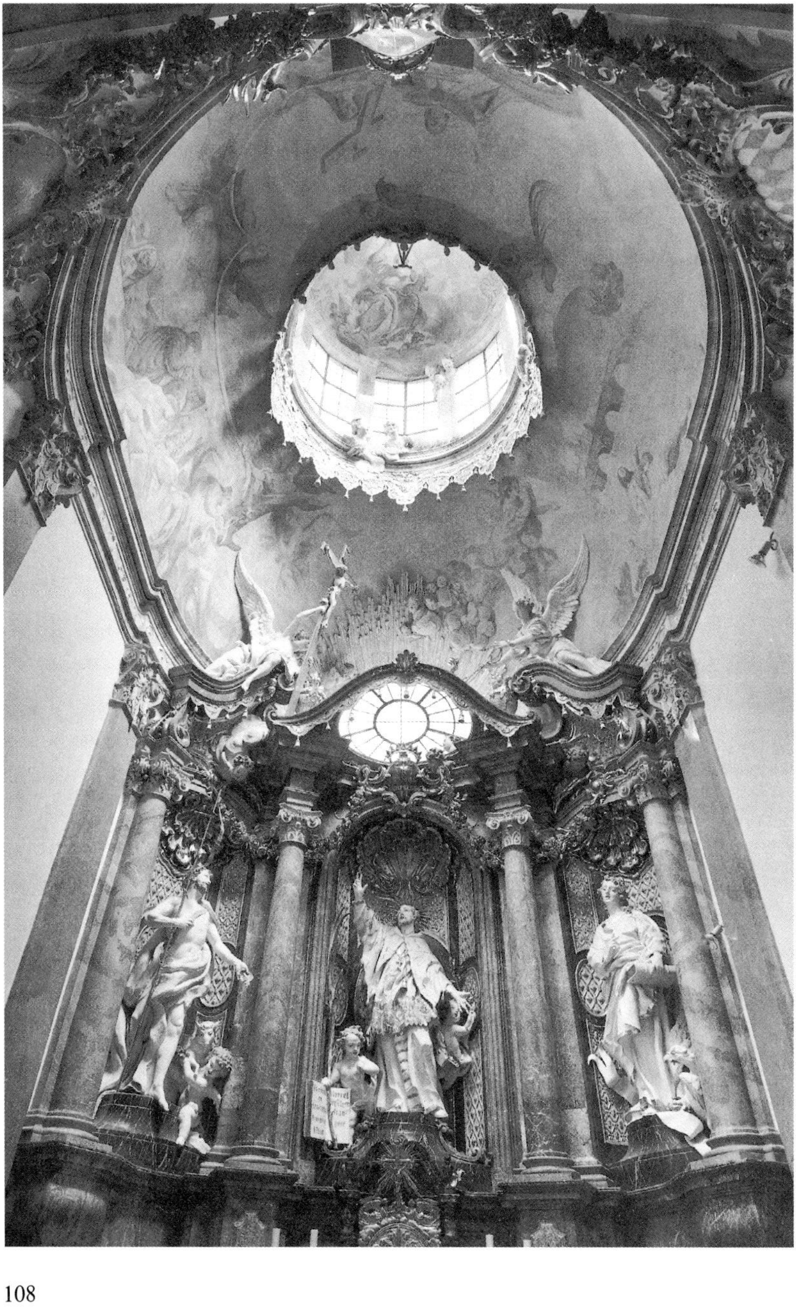

waren sie gewiß nicht. Architektur als isolierbare abstrakt-formale Gattung hat sie offenkundig nicht interessiert. Es gibt bei ihnen keine Abfolgen von Werken, in denen ein Raumgedanke entwickelt und variiert wird, wie sie für Fischer typisch sind. Der Raum ist bei den Asams eine Größe unter anderen, der auf Altar und Gewölbefresko ausgerichteten Gesamtkonzeption untergeordnet. Egid Quirin zeichnet in den unrealisiert gebliebenen Entwürfen für Thalkirchen und Deggendorf den Altar in ganzer Pracht ein, während Fischer – wie andere Maurermeister auch – sich in Grundrissen auf die Eintragung der Altarmensen beschränkt.

Maurer- oder Baumeister waren die Brüder nicht. Diese Berufsbezeichnungen entsprechen zwar in alter Zeit unserem heutigen Begriff Architekt, doch bleibt eine Differenzierungs- und Verständigungsmöglichkeit erhalten, wenn wir im folgenden Architekt im weitesten Sinn als Gestalter eines Ortes verstehen, der – wie der aus dem Maurerhandwerk kommende Baumeister – mit dem Lehrbuchwissen der fünf Säulenordnungen, mit den Möglichkeiten der Proportionierung und Maßregulierung sowie auch denen der Realisierbarkeit vertraut ist. Die Asams waren Maler und Bildhauer, so daß man sie als Maler- bzw. Bildhauer-Architekten bezeichnen kann. Eine solche Kennzeichnung ist zwar nicht neu, wohl aber verständlich und aussagekräftig. Dennoch soll sie präzisiert werden. Pietro da Cortona, ein Großmeister der römischen Architektur des 17. Jahrhunderts, war Öl- und Freskomaler wie Cosmas Damian. Beim Entwerfen von Bauten ist ihm die Architektur als eigene Gattung voll präsent, wenngleich das wundervolle Spiel von Licht und Schatten an seinen Kirchenfassaden den Maler verraten könnte. Bei Andrea Pozzo, der als Lehrer bedeutender ist denn als Künstler, bleibt die Gattungsschranke vor der Architektur wirksam. Für die Asams waren seine durchlässigeren Altarentwürfe anregend. Cortona und Pozzo waren als Maler ausgebildet und auch auf dem Gebiet der Architektur tätig: Sie waren Maler *und* Architekten.

Für die Asams besteht dagegen die Gattungsschranke nicht mehr. Nennt man sie Maler- und Bildhauer-Architekten, so heißt dies Maler und Bildhauer *als* Architekten. Bezeichnenderweise grenzen sie ihre Hauptgebiete auch nicht völlig gegeneinander ab. Cosmas entwirft den Hochaltar von Weltenburg und für Maria Dorfen, Egid, der nach einer Malerlehre spätberufene Bildhauer, greift nach dem Tod des Bruders selbst zum Pinsel. Zentren ihrer Werke sind als Plastiken und Gemälde lichtverklärte Bilder, denen die Architektur zugeordnet ist: selbst Teil des Bildes, auf das Bild abgestimmter Rahmen, changierend – Weltenburg, Rohr, Asamkirche. Vielleicht ist das eine brauchbare Kurzformel: Den Asams ist die Architektur Bestandteil eines ikonologischen Sinngebildes.

Das ist – überblickt man die Epochen der Geschichte – oft, wenn nicht meistens so gewesen. Seit der Renaissance war jedoch in unserem Kulturkreis die Spezialisierung so weit fortgeschritten, daß die Baukunst, ohne sich von übergeordneten Zusammenhängen völlig zu lösen, doch – gleichsam an der langen Leine – ein Eigenleben führen konnte. Ihre Rückbindung in das Bezugsystem eines ikonologischen Sinngebildes erscheint nunmehr als Minderung. Die Verwirrung eines Balthasar-Neumann-Verehrers etwa in einem Asam-Bau kann dies unmittelbar verdeutlichen, von der eines Norddeutschen in der Wieskirche ganz zu schweigen. Umgekehrt können auf den mit diesen Werken Vertrauten die Glanzleistun-

Freising, Dom, Johanneskapelle, um 1738

gen des fränkischen Barocks trotz aller Brillanz oberflächlich wirken, weil die Durchlässigkeit der Architektur und damit Tiefe, auch Abgründigkeit fehlt. Wenn der Würzburger Fürstbischof Friedrich Carl Graf von Schönborn 1745 den Wunsch äußerte, Balthasar Neumanns Heiligkreuzkirche in Kitzingen-Etwashausen ohne Stuck- und Freskendekor zu belassen, erscheint er als ein verständiger Mann, dem man dankbar ist für die Erhaltung dieser „reinen" Architektur. Hätte Abt Maurus Bächel nach der Fertigstellung seiner Weltenburger Klosterkirche im Rohbau dasselbe getan, ... Der Gedanke ist absurd. Die Asams haben anscheinend beim Studium von Pozzos Traktat, insbesondere bei dem seiner Altarentwürfe, eine Vision von einem ganzheitlichen Kunstwerk entwickelt, vor der die traditionellen Gattungen Eigenwert und Begrenzung verloren. Das Wort „Vision" ist angebracht zur Erklärung der Dynamik. Hinter Pozzo steht ein Größerer, Gianlorenzo Bernini. Dessen Cornaro-Kapelle in S. Maria della Vittoria mit der Verzückung der hl. Therese, dessen Konstantin in der Achse der Vorhalle des Petersdoms auf dem Podest der Scala Regia, dessen Baldachin in der Papstkathedrale und besonders die Cattedra Petri haben die Vision der Asams mit der Bestätigung der Realisierbarkeit hinterfüttert. Diese Architektur integrierenden, im skulpturalen Bild gipfelnden Schöpfungen bestimmten die Haltung der Asams zur Architektur stärker als die für Weltenburg so wichtige Kirche S. Andrea al Quirinale, wo die Skulptur zwar nicht fehlt, die Architektur aber dominiert. Die Asams betrachteten die Architektur nicht als Gattung, sondern als Element eines Sinngebildes.

Der Bezug eines Kunstwerks auf ein anderes, früheres ist ein Merkmal kultureller Tradition, eine Bedingung der Kultur überhaupt. Ebenso beziehen sich Persönlichkeiten, die die Anlage zu Außerordentlichem in sich spüren, auf einen Großen der Vergangenheit. Die partielle Identifizierung dient gleichsam als Abschußrampe zum selbständigen Flug, ist Gradmesser der eigenen Leistung. Ganz offenkundig bezogen die Asams – beide zusammen – ihre Existenz und ihr Schaffen auf Bernini, den römischen Künstlerfürsten, den genialen Neapolitaner, der einige Jahre vor ihrer Geburt 1680 hochbetagt verstorben war. Die Rolle, die er in Italien und für Frankreich gespielt hatte, übernahmen sie in den deutschen Landen nördlich der Alpen.

Die Kirche von Weltenburg, deren Inneres einen Concetto Fischers von Erlach umsetzt, das architektonische Element als figuratives voll in das übergreifende Bildkonzept einbezieht, ist am ehesten mit Fischers Fassade der Wiener Karlskirche vergleichbar, obwohl sie mit dieser keine formale Ähnlichkeit hat. Die Vergleichbarkeit liegt im Concettistischen. Fischer von Erlach, von der Bildhauerei zur Architektur kommend, hatte Lehrjahre bei Bernini verbracht. So schließt sich das Geflecht der Ahnenschaft. Für die konsequente Gestaltung der Schauseite der Weltenburger Kirche nach Prinzipien der Freskomalerei können wir keine Vorbilder benennen; hier scheint Cosmas Damian Asam selbständig die Folgerung aus der Aufhebung der Gattungsschranken gezogen zu haben.

Egid Quirin Asam stimmte in Rohr eine Basilika auf den Hochaltar ab. Die Architektur bezieht sich über die Münchener Theatinerkirche auf eine Gruppe römischer Kirchen des Frühbarocks. Profiliert er sich hier gegenüber dem Bruder, so sucht er im Zentralbauentwurf von 1725 die Synthese von Weltenburg und Rohr. Die Münchener Asamkirche übersetzt dann den architektonischen Rahmen in die Formen der beweglicheren Altarbaukunst. Unterstellt Cosmas die Weltenburger Kirche insgesamt dem Concetto, so gestaltet Egid von einem concettistischen Zentrum aus formalistisch. Das Ergebnis in seiner Hauskirche

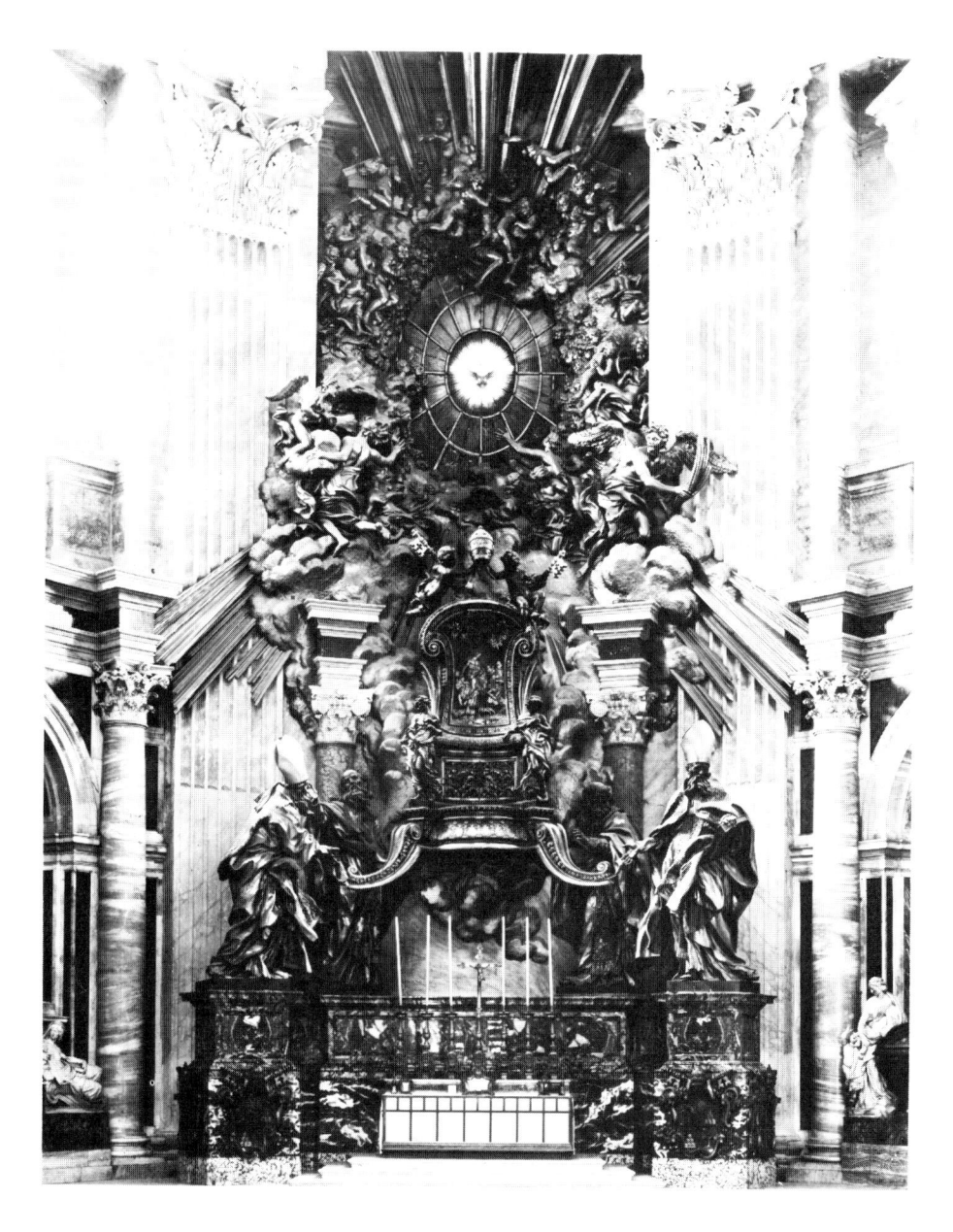

Rom, St. Peter, Cattedra Petri von Giov. Lorenzo Bernini, 1657–1665

wirkt allerdings ebenso bedrängend wie das Innere von Weltenburg. Dem übergreifenden Konzept, das sich verstehen und überschauen läßt, antwortet in formalistischem Rahmen eine Vielzahl von Bildwerken. Die Asamkirche wirkt überladen, das Beschreiben aller ihrer Bildwerke wird zum Alptraum.

Die aus dieser Linie ausscherende Straubinger Ursulinenkirche ist nur als Variation der Münchener Damenstiftskirche verständlich, die die Asams ausgestattet hatten. Bei der geschmeidigeren Abstimmung des Raummantels auf eine prinzipiell vorgebildete Altartrias gelangt Egid Quirin Asam erstmals zu einer Architektur, die sich mit Formulierungen von Baumeistern vergleichen läßt. Eine Mitsprache Cosmas Damians haben wir angenommen. In Straubing könnte man von einer Entflechtung der asamschen Gesamtvorstellung sprechen. Wenn sich unsere Überlegungen zur Klosterkirche Frauenzell in Zukunft bestätigen sollten – zur Zeit wird eine entgegengesetzte These mit überlegenswerten Gründen vertreten –, so würde dies bedeuten, daß Cosmas Damian den Entflechtungsvorgang entschieden vorangetrieben hätte. Zum Schluß eine Umkehr, Asam antiasamisch, Cosmas gegen Egid? Auch bei jenem eine Irritation beim Einsetzen des Rokokos, nicht verweigernd wie der Bruder, sondern einschwenkend?

Auch wenn wir das Problem Frauenzell ausklammern, können wir sagen, daß der Architektur der Asams etwas Jeweiliges anhaftet. Sie bedienen sich ihrer von Fall zu Fall. Deshalb ist es auch gar nicht entscheidend, ob sie Anregungen von Bernini, von Johann Michael Fischer oder von Johann Baptist Gunetzrhainer aufgreifen. Der Stellenwert der architektonischen Komponente in ihren Werken degradiert die Vorbilder zu Rohmaterial, das sie sich im Rahmen ihrer Gesamtkonzeption zu eigen machen. Bei einem Baumeister-Architekten wäre das ganz anders. Anregungen von Bernini und Pozzo zum Altarbau und zur Anlage des Freskos haben einen ganz anderen Stellenwert. Bietet Egid Quirin auch eine ganz einsichtige Entwicklung seiner Sakralraumgestaltungen, so ist dies doch keine Entwicklung der Architektur, sondern eine Entwicklung der raumgreifenden Altareinbindung und der Freskenrepräsentation. So gesehen, macht der Entwurf der Rundkapelle nach Weltenburg und Rohr vor der Asamkirche einen Sinn. Als Architektur betrachtet, wäre ihr Grundkreis nur eine Primitivform.

Konnte Nicolas de Pigage 1778 die von Johann Bernhard Fischer von Erlach in der „Historischen Architektur" publizierte Wiener Karlskirche zum Ausgangspunkt für die Komposition einer türkischen Moschee im Schwetzinger Schloßpark nehmen, so konnte auch die Weltenburger Kirche defiguriert in die formalistische Architekturgeschichte übernommen werden. Ein hübsches Beispiel ist die Kirche St. Andreas in dem wenige Kilometer östlich von Weltenburg gelegenen Ort Untersaal. Hier hat um 1730 ein örtlicher Maurermeister einen kleineren Kirchenbau errichtet, der gewiß das Prädikat „originell" verdient.[63] Eine intelligente, geradezu ausgeklügelte, eine originäre Verarbeitung von Weltenburg bietet *Johann Michael Fischer* mit der 1727 begonnenen Klosterkirche St. Anna im Lehel in München.[64] Die distanzierte Art der Bezugnahme läßt nicht entscheiden, ob Fischer bei einem Besuch seiner Heimatstadt Burglengenfeld das Donaukloster kennenlernte oder ob er von den Asams, mit denen er damals engen Kontakt hatte, nur einen Grundriß erhielt. Die Grundrißähnlichkeit ist so groß, daß man ein 1735 oder wenig später von Johann Michael Pröbstl vorgelegtes Umbauprojekt für die ehemalige Münchener Klarissenkirche St. Jakob am Anger leicht für eine Rezeption des Weltenburger Grundrisses halten kann, ehe man

Untersaal, Grundriß und Längsschnitt der um 1730 gebauten Kirche

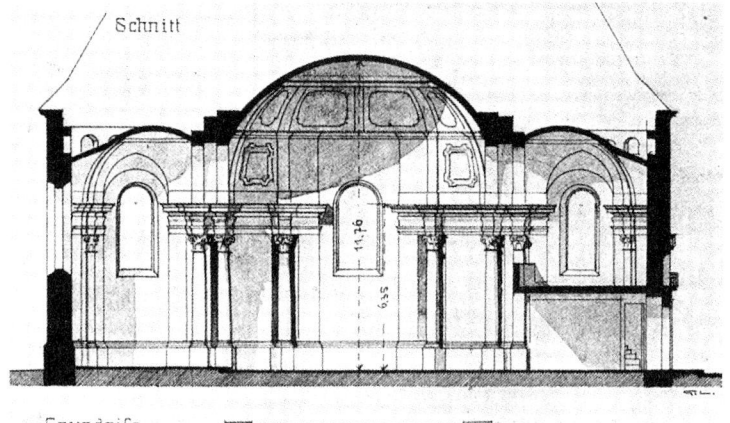

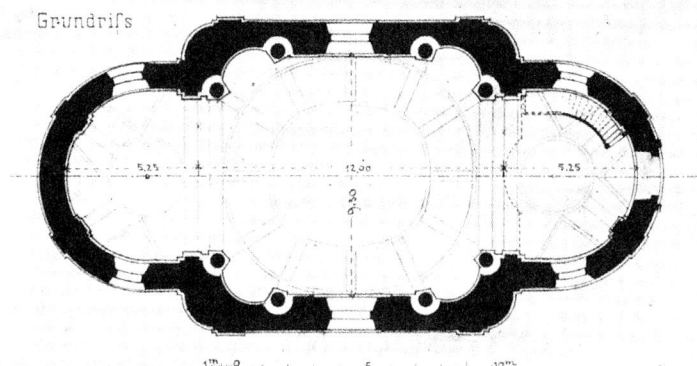

München, Klosterkirche St. Anna im Lehel, zeitgenössische Kopie eines Grundrisses von Joh. Michael Fischer, der den Bau 1727 begonnen hat, Zeichnung im Bayerischen Hauptstaatsarchiv München, Ausschnitt

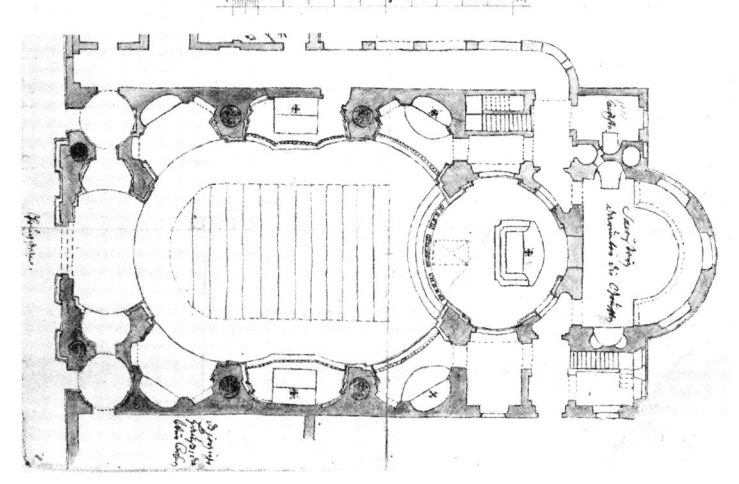

bemerkt, daß der überforderte Maurermeister sich an das lokale Vorbild St. Anna hielt.[65] Die Anastasia-Kapelle in Benediktbeuern ist 1750 eine späte Frucht der asamschen Wirkung auf Fischer, gleichsam ein gebautes Epitaph Cosmas Damians an seinem Geburtsort. Andererseits würde – falls unsere These sich als beständig erweisen sollte – die Kirche in Frauenzell die Rückwirkung Fischers auf Cosmas Damian Asam bezeugen.

Anderer Art ist die Wirkung Weltenburgs auf *Dominikus Zimmermann*. Als er 1736 mit dem Neubau der im Vorjahr abgebrannten Frauenkirche in Günzburg betraut war, forderte der Stadtrat den Verzicht auf „Ziersäulen". Nun sind im Langhaus der Kirche Säulen gerade das charakteristische und im Œuvre Zimmermanns neuartige Element. Wahrscheinlich verbat sich die kostenbewußte Verwaltung einen Ovalraum mit Umgang wie in Steinhausen, jener Wallfahrtskirche, die Zimmermann ebenso berühmt wie berüchtigt gemacht hatte. Wegen sensationeller Kostenüberziehung hatte der Schussenrieder Abt abdanken müssen. Vorbildlich für das Schiff der Günzburger Kirche wurde jenes von Weltenburg. Das Benediktinerkloster liegt zwar weit entfernt, aber auch an der Donau, an derselben Wasserstraße; wenn wir das modernistisch mit Autobahn übersetzen, war es benachbart. Das Oval war Dominikus Zimmermann geläufig. Neu ist die geschmeidige Gebälkführung im Zusammenhang mit dem Einsatz von Säulen. Auf Weltenburg verweist auch die Nonnenempore, die die Raumform als Körper wiederholt. Der Zusammenhang wird deutlicher bei der Betrachtung alter Photographien, als die Säulen noch eine Haut von Stuckmarmor zeigten. Deren Entfernung störte auch das Zusammenspiel zwischen den Säulen der Nebenaltäre und des Raummantels.[66] Die 1738 entstandene Annakapelle in Buxheim demonstriert, daß Zimmermann zeitweilig durchaus unter Asam-Einfluß mit marmorierten Säulen arbeitete. Die 1741 begonnene Johanneskirche in Landberg läßt dann endgültig keinen Zweifel mehr, daß Dominikus Zimmermann aus der Begegnung mit der Weltenburger Kirche starke Impulse bezog. Auch die Wieskirche dürfte er nicht ohne Kenntnis der Münchener Asamkirche konzipiert haben; vorerst nur ein nicht näher belegbarer Eindruck. Erstaunlich an dem Kontakt Dominikus Zimmermanns mit den Asams ist eigentlich nur der späte Zeitpunkt seines Beginns. Wieso hat er die beiden Münchener nicht früher kennengelernt, schließlich war doch sein Bruder längst in München tätig? Vielleicht gerade deshalb. Denn dem Hofkünstler Johann Baptist Zimmermann blieb die Kunst der Asams wohl innerlich fremd. Von anderen Voraussetzungen ausgehend, kamen die etwas älteren Brüder Zimmermann mit ihrem Begabungsschwerpunkt im Ornamentalen später als die frühreifen Asams zum Gipfel ihrer Kunst, so daß man schließlich den Eindruck hat, diese Hauptmeister des bayerischen Rokokos wären eine Generation jünger.

Ein recht sonderbarer Fall asamscher *Einwirkung auf die Architekturgeschichte Tirols* soll noch erwähnt werden, obwohl die Brüder den Ausgangsbau, die Pfarrkirche St. Jakob und heutigen Dom in Innsbruck, 1722 „lediglich" mit Stuck und Fresken ausgeschmückt haben, ohne in den Baubestand einzugreifen. Der Füssener Architekt Johann Jakob Herkommer war 1717 nach der Fundamentlegung verstorben, und sein Neffe und bisheriger Palier Johann Georg Fischer, schon angejahrt und vor Ehrgeiz brennend, bearbeitete den Plan, verbreitete das Schiff, überhöhte den Chor mit einer Tambourkuppel und fügte wahrscheinlich auch die Doppelturmfassade bei. Selbst schwach in der Formbildung, behielt er die trübseligen Detailformen seines Lehrmeisters bei. Egid Quirin verwandelte die Depression in einen Aufschwung. Er deutete den Bau Fischers aus, indem er die Formen

Günzburg, Frauenkirche, Inneres des 1736 von Dominikus Zimmermann begonnenen Baus gegen Nonnenempore und Orgel

Herkommers umdeutete. Erst durch die asamsche Ausstattung bekam St. Jakob das Mitreißende, das ihm die Rolle der Mutterkirche der spätbarocken Sakralarchitektur des Tiroler Alpenraumes zuwachsen ließ. Sonst hätten die späteren Baumeister gewiß nach anderen Vorbildern Ausschau gehalten.[67] Die Nachfolge von St. Jakob verschmilzt ganz am Ende der Epoche mit der Nachfolge der Einsiedler Stiftskirche in der Pfarrkirche von Muotathal im Schweizer Kanton Schwyz, für deren 1786 beginnenden Neubau der Tiroler Andreas Wechner den Plan geliefert hat – ein schöner Endpunkt, der die lang wirkende Motorik asamscher Ausstattungen für die barocke Architekturgeschichte bezeugt.

Es ist gewiß angemessen, dem architektonischen I-Punkt einen bildhauerischen beizugesellen. 1761 zeichnete *Ignaz Günther* die Fassade der Asamkirche. Wahrscheinlich reizten ihn deren plastische Werte und der Charakter eines Straßenaltars. Günther wohnte nur einige Schritte von der Asamkirche, und in ihrer Vorhalle hatte er das Epitaph des 1758 verstorbenen Grafen Zech angebracht. 1760 hatte Günther versucht, gegen seinen bereits eingeführten Lehrer Johann Baptist Straub den Auftrag zum Hochaltar von St. Michael in

Berg am Laim zu ergattern. Sein Entwurf trumpft mit gewundenen „Asam-Säulen" auf. Straub konterte erfolgreich mit Glanzleistungen im Figuralen.[68] Sonderbare Spätwirkungen von Egids Schaffen! Höchstwahrscheinlich hatte Günther als junger Mann Egid persönlich kennengelernt – er war 25, als dieser 1750 starb – und stärkte sich mit einer partiellen Identifikation gegenüber Straub, seinem einstigen Lehrer und ständigen Lokalrivalen. Um 1761 hat er im oberpfälzischen Schloß Sünching Egids Rohrer Altar ins Relief umgesetzt. Kurz vor seinem Tod schuf er 1774 als letzte Großplastik die Nenninger Pietà, ein Bildwerk von tiefer Religiosität.[69] Dieses auch im Miniaturformat gefragte Werk verrät gewiß in Komposition und facettierendem Schnitt den brillanten Rokokobildhauer; seine Geistigkeit überwindet jedoch die Zeit des ironisch aufgefangenen Zweifels. Die Darbietung des toten Gottessohnes im Bild der Pietà markiert das Ende einer Epoche, der sich Egid Quirin Asam mit der Darbietung des toten Gottessohnes im Bild des Gnadenstuhls verweigert hatte. Sollte der Zusammenhang Ignaz Günther nicht bewußt gewesen sein? Der Gnadenstuhl der Asamkirche ist aber der Kulminationspunkt einer asamschen Architektur.

Rückblende zu dem im Vorwort gezogenen Vergleich: Halligen sind Inseln, gewiß. Aber bei Sturmflut verschwinden sie unter den Wassern. Sie sind nicht landfest. Die Bauten der Asams sind Architekturen, aber sie sind nicht architekturfest. Zur Erkundung ihrer Realität muß man die Wasser der Freskomalerei und des Altarbaus, auch der Bildhauerei befahren; zuweilen muß man loten.

München, Asamkirche, Zeichnung der Fassade von Ignaz Günther, 1761, Staatliche Graphische Sammlung München

Fides Spes Charitas,
in Joanne Unitas.

Faciata von der Lorbern und Künstl. Kirch S. Joan v. Nebomükh zu München welch der Künstlich des Hofs gemein Bildhauer und Maller auf seine Kosten Erbauet.

Anmerkungen

1 Zur Biographie vgl. RUPPRECHT 1980/85, DISCHINGER 1980 und LIEDKE 1980.
2 WAGNER-LANGENSTEIN 1983 und 1986.
3 LIEDKE 1980, 17 und 141 f.
3a Mitteilung von Prof. Dr. B. RUPPRECHT.
4 Vorarlberger Barockbaumeister 1973, 52 f. (W. OECHSLIN).
5 Zitiert nach der Augsburger Ausgabe von 1719.
6 Zitiert nach der Augsburger Ausgabe von 1711.
7 TROTTMANN 1980.
8 Während die meisten Autoren einen gemeinsamen Romaufenthalt der Brüder annehmen, erwägt Lieb 1955/84, 32, eine Italienreise Egids zwischen 1717 und 1719/20.
9 Umfassendes Literaturverzeichnis bei ALTMANN/THÜRMER 1981.
10 Benedikt Werner, der letzte Abt vor der Säkularisation, erwähnt in seiner Chronik Weltenburgs einen von Cosmas Damian Asam gezeichneten und von seinem Schwager Franz Joseph Mörl gestochenen Riß zur Kirche. Das in die Chronik eingeklebte Exemplar ist nicht mehr vorhanden und bisher auch kein weiteres aufgetaucht (WIENERT 1969, 61).
11 Die Interpretation folgt im wesentlichen meinem Aufsatz von 1969.
12 ALTMANN 1982.
13 Die Krypta unter dem Presbyterium ist aus der Mittelachse nach Norden verschoben, sei es, daß eine mittelalterliche Vorgängerin umgebaut, sei es, daß noch in der alten Kirche vor der Auflösung des äußeren Friedhofs eine neue Gruft angelegt wurde; ALTMANN 1982, 71.
14 KERBER 1972, 42.
15 Frühere Übernahmen des Ovalraums waren wirkungslose Versuche geblieben. Auch Henrico Zuccalli hatte sich an Berninis S. Andrea al Quirinale inspiriert; HEYM 1984, 25.
16 WIENERT 1969 schließt den Kirchenraum von Weltenburg kurz mit der Lichtmystik des Dionysos Areopagita und der Monadenlehre von Leibniz. Die Visionen des frühchristlichen Mystikers dürften, die Gedanken des zeitgenössischen Philosophen könnten wirksam geworden sein. Dennoch ist damit die konkrete Erscheinung des Werkes nicht erklärt, auch wenn man Pater Karl Meichelbeck und Abt Maurus Bächel als Vermittler zwischenschaltet. Die Unterscheidung zwischen Studierstube und Werkstatt ist die Voraussetzung für das Verständnis der Verbindungsfäden zwischen beiden.
16a Kurfürst Max Emanuel 1976, Bd. II, 208 ff.
17 HUBALA 1970, Abb. 286 und 355.
18 HOJER 1964/67, 113 ff., hat bei seinen Bemühungen, die Ikonologie des Hochaltars auf den Ordensgroßmeister Karl Albrecht zu beziehen, die heraldische Komponente übersehen. Seine durch v. KNORRE 1972 und 1974 unterstützte Spätdatierung des Altars haben RIEDL 1976 und GÖTZ 1980 widerlegt.
19 Vgl. Abb. 38 in: Der Bayerische Hausritterorden 1979. Der Wappenkalender des Ordens zeigt zwar ein Gebilde, das mit dem Weltenburger Hochaltar bestens vergleichbar ist, doch ist – von formalen Unterschieden abgesehen – die andere Ordenskette, wie auch der schräg sprengende Reiter zu beachten, denn der Reitertypus war im Ordenszusammenhang geradezu heraldisch stabilisiert.
20 Abb.: DREGER, Moritz, Zeichnungen des älteren Fischer von Erlach, in: Kunstgeschichtl. Jb. d. K. K. Zentral-Kommission f. Erforschung und Erhaltung der Kunst- und histor. Denkmale, II (1908), 147 ff.
21 WITTKOWER, Rudolf, Grundlagen der Architektur im Zeitalter des Humanismus, München 1969, Abb. 42–45; SAUERMOST, Weltenburg 1969, 264 f.

22 LOTZ 1955.
23 KERBER 1972.
24 KDB, Niederbayern 12, Bez.-Amt XII, BA Straubing, bearb. v. Karl GRÖBER, München 1925, 37 ff.; UTZ, Hans J., Straubing/Veitskirche (KKF Nr. 1198), München/Zürich 1979; WAGNER-LANGENSTEIN 1983, 191 ff.
25 Vgl. die Zeichnung Fischers v. Erlach von 1690, SEDLMAYR 1956/76, Abb. 40.
26 VON KNORRE 1972 und 1974, RIEDL 1976 und GÖTZ 1980.
27 Abb. ohne den Übergang: SCHLECHT, Joseph, Bayerns Kirchenprovinzen, München 1902, 95.
28 Die Kenntnis dieser Zeichnung im Museum der Stadt Regensburg verdanke ich Herrn Dr. Veit Loers.
29 GRIMSCHITZ 1960/61, Abb. 88.
30 KDB, Niederbayern 22, Bez.-Amt Rottenburg, bearb. v. Anton ECKARDT, München 1930, 218 ff.; ENDRES 1934; LAMB 1936; BRUNNER 1951; LIEB 1955/84; HOJER 1964/67; HITCHCOCK 1965/66; RUPPRECHT 1980/85; ZESCHICK, Johannes OSB, Benediktinerabtei Rohr, München/Zürich 1974, 3. Aufl. 1982 (KKF Nr. 1015).
31 Mitteilung von Herrn Ernst Götz.
32 GRIMSCHITZ 1960/61, Abb. 102; GÜTHLEIN 1973, Abb. 11 f. Ernst Götz wies mich auf beide Bauten hin.
33 Abb. in: BARTHEL 1941, Taf. 52.
34 Bayerische Rokokoplastik 1985, 128 (P. VOLK). – Staatl. Graphische Sammlung München, Inv.-Nr. 40951. 49,9 : 37,4 cm; schwarze Feder, grau, rot und gelb – Schatten, Mauerwerk und Dachbalken – laviert.
35 MOIS 1958. – Vgl. dagegen WIENERT 1969, 61 ff., die die Zeichnung 1715 datiert.
36 DISCHINGER 1980, 39 (Dokument XIV).
37 Umfassende Literaturzusammenstellung bei LIEB 1983. Die beste Beschreibung von Hans Lehmbruch in: LIEB/SAUERMOST 1973, 157 ff. H. J. SAUERMOST, Text zu einer Diareihe zur Kunstgeschichte und Heimatkunde Münchens, Die Asamkirche St. Johann Nepomuk (Fotografie: Wolf Christian von der Mülbe), München 1984.
38 Dieses und die folgenden Zitate nach BAUER, DISCHINGER, LEHMBRUCH, SAUERMOST 1977.
39 Münchener Stadtarchiv, Zim. 121, aus: Kirchen- und Kultusstiftungen 207, R 2101 III 18. Fassadengrundriß der Kirche mit den Anschlüssen der Nachbarhäuser: 22 : 31,5 cm, braune Feder über Stiftvorzeichnung, rotbraun laviert; rückseitig beschriftet: „Präs. den 9. Juny anno 1733. Riß Vom Herrn Egidi Quirin Asam alhisigen Bildthauern und Stockhodorern wegen dem vorhabent neuen Kirchenpau an der Sendling Gassen." – Zu diesem Riß gibt es eine „Riß Copia", deren gleichlautende Beschriftung mit abweichender Orthographie von anderer Hand stammt und den Zusatz „ad 4" aufweist. R 2101 II 12. 22 : 31 cm, braune Feder, Mauern mit Stift- und einzelnen Federschraffuren, vor die Bauflucht vortretende Fassadenpartie unschraffiert. Die Kopie ist auf dünnerem Papier offenbar von dem Originalriß durchgezeichnet, mit Lineal, aber ohne Zirkel. Es könnte sich um eine Amtskopie zur Verdeutlichung des asamschen Anliegens handeln.
40 LIEB 1982, 37 ff.
41 FRANZ 1962, 140 f. und 147 f.; FRANZ 1985, 83 ff.
42 Ein identisches Arrangement mit dem Benediktinerinnenkloster Hohenwart scheiterte Anfang 1737; DISCHINGER 1980, 25 f. und 34 ff. (Dokument VIII–X). – WEBER, Georg, Straubing St. Ursula, München/Zürich 1968, 2. Aufl. 1984 (KKF Nr. 890). – UTZ 1965.
43 NAAB, Friedrich, Damenstiftskirche St. Anna, in: LIEB/SAUERMOST 1973, 151 ff.
44 SCHMIDT 1954, Abb. q und r. Auf die Ludwigsburger Schloßkapelle wies mich Ernst Götz hin.
45 Anders als in meinem Aufsatz von 1972 möchte ich jetzt diese Leistung dem Freskanten Cosmas zuschreiben, da ich die traditionelle Auffassung der Asams als eines gleichgeschalteten Doppelgehirns nicht mehr beibehalten kann. (SAUERMOST, Die Asam-Brüder ohne Bindestrich, in: Jb. d.

Ver. f. christl. Kunst XVI, München 1987.) Zu dem Moosbrugger-Bau vgl. Vorarlberger Barockbaumeister 1973, 186 ff. (NAAB/SAUERMOST).
46 EIGNER, Hermann und Erwin SCHLEICH, Kirchenführer Maria Dorfen, Ottobeuren 1972. - Bayerische Rokokoplastik 1985, 121 ff. (Peter Volk).
47 KDB, Niederbayern 4, Stadt Straubing, bearb. v. Felix MADER, München 1921, 242.
48 SCHINDLER 1968, 210.
49 HANFSTAENGL 1955, 60.
49a LIEB 1955/84, Abb. 31 (Längsschnitt zur Abteikirche Ottobeuren, Lieb LXXXVI).
50 RIEDL 1977/78.
51 KDB, Oberpfalz und Regensburg 21, Bez.-Amt Regensburg, bearb. v. Felix Mader, München 1910, 53 ff.; STILLER, Joseph, Frauenzell, (KKF Nr. 563), München/Zürich 1952, 5. Aufl. 1984; SCHINDLER 1955; DINKELACKER 1982.
52 DINKELACKER 1982, 60.
53 SCHINHAMMER, Clement, Die Kirchenbauten des Münchner Rokokobaumeisters J. M. Fischer im Gebiete des Bayerischen Waldes, Der Bayerwald 29, 1931, 161 ff; LIEB 1941, 121 und 146.
54 WIENERT 1969, 74.
55 Sixtus Lampl in: LAMPL 1985, 39; RUPPRECHT 1980/85, 28; LIPPERT 1969, 87 ff.
56 TROTTMANN 1984.
57 TROTTMANN 1984, 88 ff.; LIEB 1982, 224.
58 RUPPRECHT 1980/85; RIEDL 1974; BENKER 1975.
59 SAUERMOST 1972; Vorarlberger Barockbaumeister 1973, 203 ff. (NAAB/SAUERMOST); vgl. Anm. 45.
60 DISCHINGER 1983, Nr. 95-97; Bayerische Rokokoplastik 1985, 128 f. (Peter VOLK). Die drei Risse: BayHStA, Plansammlung 19445-19447. - *Bestandsaufnahme,* Querschnitt des gotischen Chors mit dem alten Altar: Feder in Braun über Stiftvorzeichnung, grau laviert und aquarelliert. - 31,3 : 19,4 cm. (Diese Zeichnung - nach Dischinger - nicht eigenhändig; da sie zu dem Satz gehört, wohl von einem Mitarbeiter Egid Quirin Asams). - *Altarentwurf,* Querschnitt des umzubauenden Chors und Grundriß des Chorschlusses: Feder in Braun über Stiftvorzeichnung, aquarelliert, stellenweise weiß gehöht. - 30,8 : 39,0 cm. - *Längsschnitt* des umzubauenden Chors: Stiftvorzeichnung, aquarelliert; rückseitig deckungsgleich Stiftzeichnung des gotischen Chors. - 30,0 : 35,9 cm. - Abb. der beiden Querschnitte in Bayerische Rokokoplastik 1985.
61 BENKER 1975 nimmt 1738 als Jahr des Beginns (1738-40), RUPPRECHT 1980/85 als Jahr der Vollendung (zwischen 1735 und 1738).
62 Die Frage ist die: Hat Cosmas Damian einen älteren Saaltyp, wie er im 17. Jahrhundert mit Kassettendecke geläufig war, durch sein Fresko von einem altertümlichen und provinziellen Zug befreit, oder hat man den alten Typus ohne architektonische Innengliederung aufgegriffen, nachdem man durch den Freskanten über dessen neue Möglichkeiten bereits informiert war?
63 KDB, Niederbayern 7, Bez.-Amt Kelheim, bearb. v. Felix MADER, München 1922, 352 ff.
64 LIEB 1982, 40 ff.; DISCHINGER 1983, Nr. 312-318.
65 DISCHINGER 1983, Nr. 396.
66 SAUERMOST, Weltenburg 1969, 266; BARTHEL 1941, Abb. 84; BAUER, Zimmermann 1985, 208 ff.
67 SAUERMOST, Fischer 1969, 42 ff.; Sauermost 1972, 230 f.; FRODL-KRAFT 1955.
68 Bayerische Rokokoplastik 1985, 155 ff. (P. VOLK).
69 Ebd., 205 f. (A. DOBRZECKI).

Planungen und Bauten

um 1715	*Fürstenfeld*, Zisterzienserabtei: Vergebliche Bewerbung um den Ausbau der Kirche; Entwurf wohl von COSMAS DAMIAN.
1716	*Weltenburg*, Benediktinerabtei: Baubeginn der Kirche nach Entwurf COSMAS DAMIANS.
1717	*Rohr*, Augustinerchorherrenstift: Baubeginn der Kirche nach Entwurf EGID QUIRINS.
1718–1720	*Freising–Weihenstephan,* Benediktinerabtei: Bau der Korbinianskapelle. Entwurf von COSMAS DAMIAN?
1723/24	*Freising*, Dom: Umgestaltung. Entwurf der Gesamtkonzeption COSMAS DAMIAN zuzuschreiben.
1724–1726	*Einsiedeln*, Benediktinerstift: Ausstattung der Kirche mit Stuck und Fresken. Entwurf der Wölbungen der beiden östlichen Mittelschiffsjoche COSMAS DAMIAN zuzuschreiben.
1725	*München–Thalkirchen:* Projekt einer Rundkapelle EGID QUIRINS auf dem Landsitz seines Bruders; unausgeführt.
1730	*München–Thalkirchen:* Maria-Einsiedl-Kapelle COSMAS DAMIANS auf seinem Landsitz.
1730	*Freising–Weihenstephan*, Benediktinerabtei: EIN ASAM liefert in Konkurrenz mit Joh. Michael Fischer einen Grundriß zu Um- oder Neubau der Kirche; unausgeführt.
1733	*München:* Baubeginn von St. Johann Nepomuk neben dem Wohnhaus EGID QUIRINS in der Sendlinger Straße.
1736	*Straubing*, Ursulinenkloster: Baubeginn der Kirche nach Entwurf EGID QUIRINS.
1736	*Deggendorf*, Hl.-Grab-Kirche: Pläne EGID QUIRINS zu neuem Hochaltar und Chorumbau; unausgeführt.
1736	*Frauenzell,* Benediktinerabtei: Konsultation wegen des Kirchenneubaus. 1737 Legung der südlichen Fundamenthälfte, dann Bauunterbrechung bis 1747. Der Plan zur ausgeführten Kirche (nicht zur Fassade) wird hier COSMAS DAMIAN zugeschrieben.
um 1738	*Freising*, Dom: Johanneskapelle; Entwurf EGID QUIRIN zuzuschreiben.

Ausgewählte Literatur

ALTMANN, Lothar, Die Kultkontinuität in der Asamkirche zu Weltenburg, in: Ars Bavarica Bd. 25/26, 1982, 65 ff.
- und THÜRMER, Fr. Rupert, OSB, Benediktinerabtei Weltenburg a. d. Donau, München/Zürich 1981 (Gr. Kunstführer Bd. 86).

BARTHEL, Gustav, Barockkirchen in Altbayern und Schwaben (Aufnahmen von Walter Hege), 2. Aufl. Berlin 1941.

BAUER, Hermann, Rocaille – Zur Herkunft und zum Wesen eines Ornament-Motivs, Berlin 1962.
- Der Himmel im Rokoko, Regensburg 1965.
- und Anna, Johann Baptist und Dominikus Zimmermann – Entstehung und Vollendung des bayerischen Rokoko (Fotografische Aufnahmen: Wolf-Christian von der Mülbe), Regensburg 1985.
- Klöster in Bayern – Eine Kunst- und Kulturgeschichte der Klöster in Oberbayern, Niederbayern und der Oberpfalz, München 1985.

BAUER, Richard und DISCHINGER, Gabriele, Die Asamkirche in München, München/Zürich 1981 (Kunstführer Nr. 1277).
- DISCHINGER, Gabriele, LEHMBRUCH, Hans, SAUERMOST, Heinz Jürgen, St. Johann Nepomuk im Licht der Quellen, München 1977.

BAUMEISTER, Engelbert, Zeichnungen des E. Q. Asam, in: Das Münster 4, 1951, 208 ff.
- Zeichnungen des C. D. Asam, in: Das Münster 6, 1953, 245 ff.

Der Bayerische Hausritterorden vom Heiligen Georg 1729–1979, Ausstellungskatalog bearbeitet von Georg Baumgartner und Lorenz Seelig, München 1979.

Bayerische Rokokoplastik – Vom Entwurf zur Ausführung, Ausstellungskatalog bearb. von Alina Dobrzecki, Barbara Hardtwig, Kilian Kreilinger und Peter Volk, München 1985.

BENKER, Sigmund, Freising – Dom und Domberg, Königstein i. T. 1975.

BRUNNER, Herbert, Altar- und Raumkunst bei E. Q. Asam, Diss. München 1951.

BUCHENRIEDER, Fritz, Bemerkungen zu restaurierten Kirchenräumen der Gebrüder Asam, in: Ars Bavarica 19/20, 1980, 105 ff.

DINKELACKER, Susanne, Die ehemalige Benediktiner-Abteikirche Frauenzell, Magisterarbeit München 1982.

DISCHINGER, Gabriele, Zu Leben und Werk der Künstlerfamilie Asam, in: Ars Bavarica 19/20, 1980, 23 ff.
- Zeichnungen zu Architektur und Ausstattungen von Sakralbauten bis 1803 im Bayerischen Hauptstaatsarchiv, I. Altbayerische Bestände, 1983 abgeschlossenes Manuskript.

ENDRES, Ottmar, Untersuchungen zur Baukunst der Brüder Asam, Diss. München 1934.

FEULNER, Adolf, Bayerisches Rokoko, München 1923.
- Skulptur und Malerei des 18. Jahrhunderts in Deutschland, in: Hb. d. Kunstw., Wildpark-Potsdam 1929.
- Die Asamkirche in München, München 1932.

FRANZ, Heinrich Gerhard, Bauten und Baumeister der Barockzeit in Böhmen – Entstehung und Ausstrahlungen der böhmischen Barockbaukunst, Leipzig 1962.
- Dientzenhofer und „Hausstätter" – Kirchenbaumeister in Bayern und Böhmen, München/Zürich 1985.

FREEDEN, Max H. von, Balthasar Neumann – Leben und Werk, 2. Aufl. München/Berlin 1963.

FRODL-KRAFT, Eva, Tiroler Barockkirchen, Innsbruck 1955.

GÖTZ, Ernst, Konstruktive, architektonische und kunstgeschichtliche Bemerkungen zur Klosterkirche Weltenburg, beobachtet während einer neuen Maßaufnahme, in: Ars Bavarica 19/20, 1980, 93 ff.
GRIMSCHITZ, Bruno, Johann Michael Prunner, Wien/München 1960, 2. Aufl. 1961.
GÜTHLEIN, Klaus, Der österreichische Barockbaumeister Franz Munggenast, Diss. Heidelberg 1973.
HAGER, Werner, Die Bauten des deutschen Barocks 1690–1770, Jena 1942.
HANFSTAENGL, Erika, Cosmas Damian Asam, Diss. München 1939.
– Die Brüder C. D. und E. Q. Asam, München/Berlin 1955.
HARRIES, Karsten, The Bavarian Rococo Church – Between Faith and Aestheticism, New Haven/London 1983.
HAUTTMANN, Max, Geschichte der kirchlichen Baukunst in Bayern, Schwaben und Franken 1550–1780, 2. Auflage 1923.
HEFELE, Gabriel, Osterhofen und die Stuckdekoration Egid Quirin Asams – Eine Formenanalyse, Diss. München 1983.
HEYM, Sabine, Henrico Zuccalli, der kurbayerische Hofbaumeister, München/Zürich 1984.
HITCHCOCK, Henry-Russell, The Brothers Asam and the Beginnings of Bavarian Rococo Church Architecture. Part 1. Through the Early 1720s, Journal of the Society of Architectural Historians, 24, 1965, 187 ff. – Part 2. From the Early 1720s to the Mid-1730s, Journal of the Society of Architectural Historians, 25, 1966, 3 ff.
HOJER, Gerhard, Die frühe Figuralplastik E. Q. Asams, Diss. München 1964, Witterschlick bei Bonn 1967.
HOTZ, Joachim, Die Künstlerfamilie Asam – Versuch einer Werkliste, in: Ars Bavarica 19/20, 1980, 1 ff.
HUBALA, Erich, Die Kunst des 17. Jahrhunderts, PKG Bd. 9, Berlin 1970.
HÜTTL, Ludwig, Max Emanuel – Der Blaue Kurfürst, München 1976.
KELLER, Harald, Die Kunst des 18. Jahrhunderts, PKG Bd. 10, Berlin 1971.
KERBER, Bernhard, Andrea Pozzo, Berlin/New York 1971.
– Ein Kirchenprojekt des Andrea Pozzo als Vorstufe für Weltenburg?, in: Architectura, 1, 1972, 34 ff.
KLEYNOT, B. v., Neuer Fund an Asambriefen – Ein Beitrag zur Baugeschichte der Ursulinenkirche zu Straubing, in: Das Münster, 1, 1947, 47 f.
KNORRE, Eckhard von, Die Weltenburger Klosterkirche im Werk der Brüder Asam, Weltenburg 1972.
– Die Choranlage der Weltenburger Klosterkirche als Spätwerk der Brüder Asam, in: Architectura, 2, 1974, 147 ff.
Kurfürst Max Emanuel – Bayern und Europa um 1700, Zweibändiger Ausstellungskatalog, herausgegeben von Hubert Glaser, München 1976.
LAMB, Carl, Zur Entwicklung der malerischen Architektur in Südbayern in der ersten Hälfte des 18. Jahrhunderts, Würzburg 1936.
LAMPL, Lorenz (Hrsg.), Die Klosterkirche Fürstenfeld (Aufnahmen von Wolf-Christian von der Mülbe), 2. Auflage München 1985.
LIEB, Norbert, Münchener Barockbaumeister, München 1941.
– Barockkirchen zwischen Donau und Alpen, München 1955, 5. Aufl. 1984.
– München. Die Geschichte seiner Kunst, München 1971.
– Johann Michael Fischer – Baumeister und Raumschöpfer im späten Barock Süddeutschlands (Photographische Aufnahmen: Wolf-Christian von der Mülbe), Regensburg 1982.
– St. Johann Nepomuk – die Asamkirche in München, (Fotos: Wolf-Christian von der Mülbe), München/Zürich 1983 (Gr. Kunstführer Bd. 100).
– und SAUERMOST, Heinz Jürgen (Hrsg.), Münchens Kirchen, München 1973.

LIEDKE, Volker, Marginalien zur Künstlerfamilie Asam, in: Ars Bavarica 19/20, 1980, 13 ff.
LIPPERT, Karl-Ludwig, Giovanni Antonio Viscardi, München 1969.
LOERS, Veit, Rokokoplastik und Dekorationssysteme, München/Zürich 1976.
LOTZ, Constanze, Das Asamhaus in München, in: Künstlerhäuser von der Renaissance bis zur Gegenwart, hrsg. von Eduard Hüttinger, Zürich 1985.
LOTZ, Wolfgang, Die ovalen Kirchenräume des Cinquecento, in: Römisches Jahrbuch für Kunstgeschichte, VII, 1955, 7 ff.
MOIS, Jakob, Das „Asamisch-Maria-Einsiedl-Thal". Ein Kapitel Künstlerfrömmigkeit der Barockzeit, in: Der Zwiebelturm, 13, 1958, 189 ff. und 218 ff.
PEVSNER, Nikolaus, Europäische Architektur von den Anfängen bis zur Gegenwart, München 1957.
REUTHER, Hans, Die Kirchenbauten Balthasar Neumanns, Berlin 1960.
– Balthasar Neumann – Der mainfränkische Barockbaumeister, München 1983.
RIEDL, Dorith, Raumkunst der Brüder Asam – Umgestaltung mittelalterlicher Räume, Diss. München 1974.
– Zur Datierung und Planungsgeschichte des Hochaltars der Benediktinerabteikirche Weltenburg, in: Das Münster, 29, 1976, 335 ff.
– Zu zwei Asam-Kirchen: München St. Johann Nepomuk – Straubing Ursulinenklosterkirche, München 1977, 2. Aufl. 1978.
RIEß, Ottmar, Die Abtei Weltenburg zwischen Dreißigjährigem Krieg und Säkularisation (1626–1803), Regensburg 1975.
RUPPRECHT, Bernhard, Die bayerische Rokoko-Kirche, Kallmünz 1959.
– Akzente im Bau- und Kunstwesen Ingolstadts, in: Ingolstadt Bd. II, Ingolstadt 1974.
– Die Brüder Asam – Sinn und Sinnlichkeit im bayerischen Barock (Fotografische Aufnahmen: Wolf-Christian von der Mülbe), Regensburg 1980, 2. Aufl. 1985.
SAUERMOST, Heinz Jürgen, Der Allgäuer Barockbaumeister Johann Georg Fischer, Augsburg 1969.
– Weltenburg – Ein bayerisches Donaukloster, in: Das Münster, 22, 1969, 257 ff.
– Die Stifts- und Wallfahrtskirche von Einsiedeln als architektonische Schöpfung der Brüder K. D. und Ä. Q. Asam, in: Zwischen Donau und Alpen, Festschrift für Norbert Lieb zum 65. Geburtstag, München 1972, 213 ff.
SCHINDLER, Herbert, Frauenzell – Ein Waldkloster und seine Geschichte, in: Unbekanntes Bayern, 1, 1955, 159 ff.
– Die Ursulinenkirche in Straubing – Das letzte Werk der Brüder Asam, in: Straubing – Festschrift aus Anlaß des 750. Gründungsjubiläums, hrsg. von Karl Bosl, Straubing 1968, 205 ff.
SCHMIDT, Richard, Schloß Ludwigsburg, München 1954.
SCHOENER, Susanne, Handzeichnungen von Cosmas Damian Asam, Magisterarbeit München 1966.
SEDLMAYR, Hans, Joh. Bernhard Fischer von Erlach, Wien 1956, 2. Aufl. 1976.
SPAHR, Gebhard, Die Basilika Weingarten. Ein Barockjuwel in Oberschwaben, Sigmaringen 1974.
SPINDLER-NIROS, Ursula, Farbigkeit in bayerischen Kirchenräumen des 18. Jahrhunderts, Frankfurt am Main, Bern/Cirencester-U. K. 1981.
TINTELNOT, Hans, Die barocke Freskomalerei in Deutschland. Ihre Entwicklung und europäische Wirkung, München 1951.
TROTTMANN, Helene, Die Zeichnungen Cosmas Damian Asams für den Concorso Clementino der Accademia di San Luca von 1713, in: Pantheon 38, 1980, 158 ff.
– Die zerstörte Korbinianskapelle in Weihenstephan und ihr Bilderschmuck von C. D. Asam, in: Jahrbuch des Vereins für christliche Kunst XIV, 1984, 81 ff.
TYROLLER, Karl, Neue Nachrichten über die Beziehung der Gebrüder Asam zu Kloster und Kirche der Ursulinen, in: Beiheft zum Jahresbericht 1976/77 des Ursulinengymnasiums Straubing.
UTZ, Hans, Sechs Asam-Briefe im Ursulinenkloster Straubing, in: Jahresbericht d. Hist. Vereins für Straubing u. Umgebung, 68, 1965, 69 ff.

VOELCKER, Helene, Die Baumeister Gunezrhainer, Diss. München 1923.
VOLK, Peter, Rokokoplastik in Altbayern, Bayerisch-Schwaben und im Allgäu, München 1981.
Die Vorarlberger Barockbaumeister, Ausstellungskatalog bearb. von Hans Martin Gubler, Friedrich Naab, Werner Oechslin, Oscar Sandner und Heinz Jürgen Sauermost, Einsiedeln 1973.
WAGNER-LANGENSTEIN, Eva, Georg Asam 1649–1711 – Ein Beitrag zur Entwicklung der barocken Deckenmalerei in Bayern, München 1983.
– Georg Asam – Ölmaler und Freskant im barocken Altbayern, München/Zürich 1986.
WEINGARTNER, Josef, Römische Barockkirchen, München o. J.
WIENERT, Marlis, Die Klosterkirche von Weltenburg – Versuch einer Interpretation und Einordnung, Diss. München 1969.
WOECKEL, Gerhard P., Die Ikonographie des Fassadenschmuckes am Münchner Asamhaus, in: Schönere Heimat, 41, 1952, 38 ff.
– Franz Ignaz Günther, der große Bildhauer des bayerischen Rokoko, Regensburg 1977.

Abbildungsnachweis

Foto Alinari, Florenz S. 111. – Dr. Lothar Altmann, Unterpfaffenhofen S. 5, 19. – Bayer. Hauptstaatsarchiv, München (Plansammlung) S. 106, 113 u. – Bayer. Landesamt für Denkmalpflege, München S. 37, 43 o., 71, 86 u., 95, 113 o. – Deutscher Kunstverlag, München (Fritz Thudichum) S. 31. – Diözesanmuseum Freising S. 102. – Hirmer Verlag, München S. 49. – Michael Jeiter, Aachen S. 47. – Klammet u. Aberl, Germering S. 16 (Luftbild freigeg. Reg. v. Obb. Nr. G 43/155). – Bildarchiv Foto Marburg S. 25, 50, 98. – Wolf-Christian von der Mülbe, Dachau S. 64, 69, 73, 83, 103, 108, Umschlag. – Foto Poss, Regensburg S. 92. – Staatl. Graph. Sammlung, München S. 56/59/Vorsatz (Inv. Nr. 40951), 117 (Inv. Nr. 32070). – Stadtarchiv München S. 67. – Münchener Stadtmuseum S. 86 o. – Städt. Museum, Regensburg S. 17. – Hans Achürer, München S. 68. – Dr. Johannes Steiner, München S. 22, 27, 40, 78, 115. – Stella-Photo (O. Baur), Einsiedeln S. 105. – Zwiebelturm, 13. Jg. 1958 S. 63. – Verlag Schnell & Steiner S. 18 (Archiv); S. 75 (Kurt Gramer, Bietigheim-Bissingen); S. 35, 53, 84, 97, 99 (Gregor Peda, Pasau).

Orts- und Künstlerregister

(Kursive Ziffern: Abbildungsseiten)

Aachen 74
Alberti, Leon Battista 32
Aldersbach 51, 60
Alteglofsheim 62
Asam, Franz Erasmus 18
-, Georg 9, 14, 37
-, Maria Salome (verh. Bornschlögl) 9, 17
-, Philipp Emanuel (P. Engelbert) 101
Augsburg 10, 32

Baader, Joseph 52
Barelli, Agostino 44
Beer von Blaichten, Franz 36
Benediktbeuern 9
-, Anastasia-Kapelle 114
Bernini, Giovanni Lorenzo 12, 32, 38, 46, 72, 110, 112; *18, 25, 50, 111*
Blois 33
Bodeneer, Georg Conrad 10
Boos, Roman Anton 66
Borromini, Francesco 12, 33, 51
Boxbarth, Johann 10
Braunau/Broumov 41, 96
Břevnov 41, 96, 100
Bruchsal 62, 72, 81
Buxheim, Annakapelle 114

Cortona, Pietro da 12, 109
Cuvilliés, François 76

Deggendorf 107, 109; *106*
Detleffsen, Peter 10
Dientzenhofer, Christoph 96, 100
-, Kilian Ignaz 74, 93, 96
-, Wolfgang 96
Dießen 77
Dorfen 88, 109
Dürer, Albrecht 74, 76

Einsiedeln 60, 62, 82, 84 f., 88, 104, 107, 115; *105*

Ensdorf 12, 15, 96
Ettenhofer, Joh. Georg 101

Faistenberger, Andreas 10, 12, 44, 46
Falda, Giovanni Battista 38; *18*
Fischer, Joh. Georg 114
Fischer, Joh. Michael 72, 77, 90, 93, 95 f., 100, 104, 109, 112, 114; *71, 113*
Fischer von Erlach, Joh. Bernhard 32, 38, 110, 112; *26*
Frauenbründl 33; *37*
Frauenzell 15, 91-100, 112; *92-99*
Freising, Dom 52, 104, 107; *102 f.*
-, -, Johanneskapelle 107; *108*
-, Weihenstephan 101, 104
Frisoni, Donato Giuseppe 81
Füller, Veit 36
Fürstenfeld 101

Gherhardi, Antonio 33, 58
Gießl, Leonhard Matthäus 93
Giorgioli, Pietro Francesco 17
Girardon, François 29
Guarini, Guariño 33
Günther, Ignaz 115 f.; *117*
Günzburg 100, 114; *115*
Gunetzrhainer, Ignaz Anton 93
-, Joh. Baptist 82, 112

Hardouin-Mansart, Jules 33
Herkommer, Joh. Jakob 114 f.
Hildebrandt, Lukas v. 74

Ingolstadt 107
Innsbruck 114 f.

Kitzingen-Etwashausen 110
Knoller, Martin 107
Kraussen, Joh. Ulrich 32; *30*
Kürschner, Joh. Jakob 18

Landsberg am Lech 114
Landshut 77
London 33
Ludwigsburg 81 f.

Maderna, Carlo 32
Mannheim 9, 81
Mansart, François 33
Mantua 32
Michelangelo 12
Mörl, Franz Joseph 104; *102*
Moosbrugger, Andreas (Br. Caspar) 85, 104
München 9 f., 29; *34*
-, Bürgersaal 107
-, Dreifaltigkeitskirche 82
-, St. Anna (Damenstiftskirche) 81 f., 88, 90, 112; *86*
-, St. Anna im Lehel 72, 96, 112, 114; *113*
-, St. Jakob am Anger 112
-, St. Johann Nepomuk (Asamkirche) 46, 60, 65-77, 88, 90 f., 100, 109 f., 112, 114 ff.; *64-75, 117*
-, St. Kajetan (Theatinerkirche) 44, 46, 51
-, St. Michael (Jesuitenkirche) 101
-, St. Michael in Berg am Laim 115 f.
München-Thalkirchen 54-63, 66, 104, 107, 109 f., 112; *56-63*
Muotathal 115

Nenningen 116
Neu, Franz Anton 18
Neumann, Balthasar 74, 82, 88, 109 f.
Niederalteich 72

Ött, Caspar 36
Osterhofen 60, 65, 72, 74, 96
Ottobeuren 90

Paris 33
Pigage, Nicolas de 112
Plank, Fr. Philipp 15, 36
Pozzo, Fr. Andrea 10 ff., 28, 33, 45 f., 58, 77, 109 f., 112; *8, 13*
Prag 71, 74, 76
Pröbstl, Joh. Michael 112
Prucker, Niklas 9
Prunner, Joh. Michael 38, 95

Rastatt 62
Regensburg 17, 38, 93, 95, 104

Riemenschneider, Tilman 46
Rinchnach 72; *71*
Rohr 11 f., 41-54, 58, 60, 107, 109 f., 116; *40-53*
Rom 10 ff., 14, 16, 24, 32, 41, 44, 46, 101
-, Il Gesù 11, 33, 44 f.; *8, 13*
-, Lateransbasilika 51, 58, 77; *61*
-, Petersdom 46, 72, 110; *111*
-, S. Andrea al Quirinale 32 f., 38, 46, 110; *18, 25*
-, S. Carlo alle quattro Fontane 33
-, S. Ignazio 10
-, Sa. Maria della Vittoria, Cornaro-Kapelle 46, 110; *50*
Rubens, Peter Paul 104

Salzburg 32
Schlüter, Andreas 29
Schwetzingen 112
Straub, Joh. Baptist 115 f.
Straubing 77-91, 100, 107, 112; *78-89*
Sünching 116
Sulzbach 9

Tegernsee 9
Tizian 46

Untersaal 112; *113*

Viscardi, Giovanni Antonio 82, 101

Wahlstatt 41, 72, 96, 100; *98*
Wechner, Andreas 115
Weingarten 81, 104
Weltenburg 11 f., 14-39, 41, 44, 46, 48, 51, 54, 58, 60, 74, 92, 94-98, 100, 104, 107, 109 f., 112, 114; *5, 16-39*
Wening, Michael 37, 93 f.
Wenzler, Johann 17
Wien 10, 32, 110, 112; *26*
Wieskirche 109, 114
Wolf, Michael 17, 36
Wolff, Jeremias 10
Wren, Christopher 33
Würzburg, Hofkirche 74
-, Käppele 88, 90
-, Schönbornkapelle 81 f.

Zimmermann, Dominikus 100, 114; *115*
-, Joh. Baptist 114

Schnell & Steiner Künstlerbibliothek

Die Reihe für Kunstfreunde und Kenner

Diese neue Reihe wendet sich sowohl an den Fachmann als auch an den kunstinteressierten Laien. Anerkannte Autoren stellen in reich bebilderten Ausgaben Künstler vor, die heute zu Unrecht einem breiteren Publikum weitgehend unbekannt sind. Ausführliche Werklisten und Literaturangaben runden das Informationsbild ab. Jeder Band hat 96–144 Seiten mit etwa 8 Farb- und 50 Schwarzweißabbildungen, cell. Pappbd., Format 16 x 20,5 cm, Verkaufspreis einheitlich DM 28,-

Sabine Heym
Henrico Zuccalli
Der kurbayerische Hofbaumeister

112 S., 9 Farb- und 47 Schwarzweißabb., cell. Pappbd., DM 28,-
ISBN 3-7954-0365-0

Gerhard Franz
Dientzenhofer und „Hausstätter"
Kirchenbaumeister in Bayern und Böhmen

144 S., 9 Farb- und 90 Schwarzweißabb., 27 Risse, cell. Pappbd., DM 28,-
ISBN 3-7954-0372-3

Fritz Arens
Maximilian von Welsch
Architekt der Schönbornbischöfe

112 S., 7 Farb- und 49 Schwarzweißabb., cell. Pappbd., DM 28,-
ISBN 3-7954-0373-1

Ernst Wolfgang Mick
Johann Ev. Holzer
Ein frühvollendetes Malergenie des 18. Jhs.

104 S., 12 Farb- und 43 Schwarzweißabb., cell. Pappbd., DM 28,-
ISBN 3-7954-0366-9

Alfred Schädler
Georg Petel
Barockbildhauer zu Augsburg

96 S., 9 Farb- und 70 Schwarzweißabb., cell. Pappbd., DM 28,-
ISBN 3-7954-0369-3

Uta Schedler
Roman Anton Boos
Bildhauer zwischen Rokoko und Klassizismus

112 S., 9 Farb- und 76 Schwarzweißabb., cell. Pappbd., DM 28,-
ISBN 3-7954-0370-7

Lucia Longo
Antonio Petrini
Ein Barockarchitekt in Franken

104 S., 9 Farb- und 52 Schwarzweißabb., cell. Pappband, DM 28,-
ISBN 3-7954-0374-X

Eva Langenstein
Georg Asam
Ölmaler und Freskant im barocken Altbayern

96 S., 11 Farb- und 45 Schwarzweißabb., cell. Pappband, DM 28,-
ISBN 3-7954-0371-5

Verlag Schnell & Steiner GmbH & Co., München-Zürich
Paganinistraße 92, 8000 München 60, Telefon (089) 81 20 15

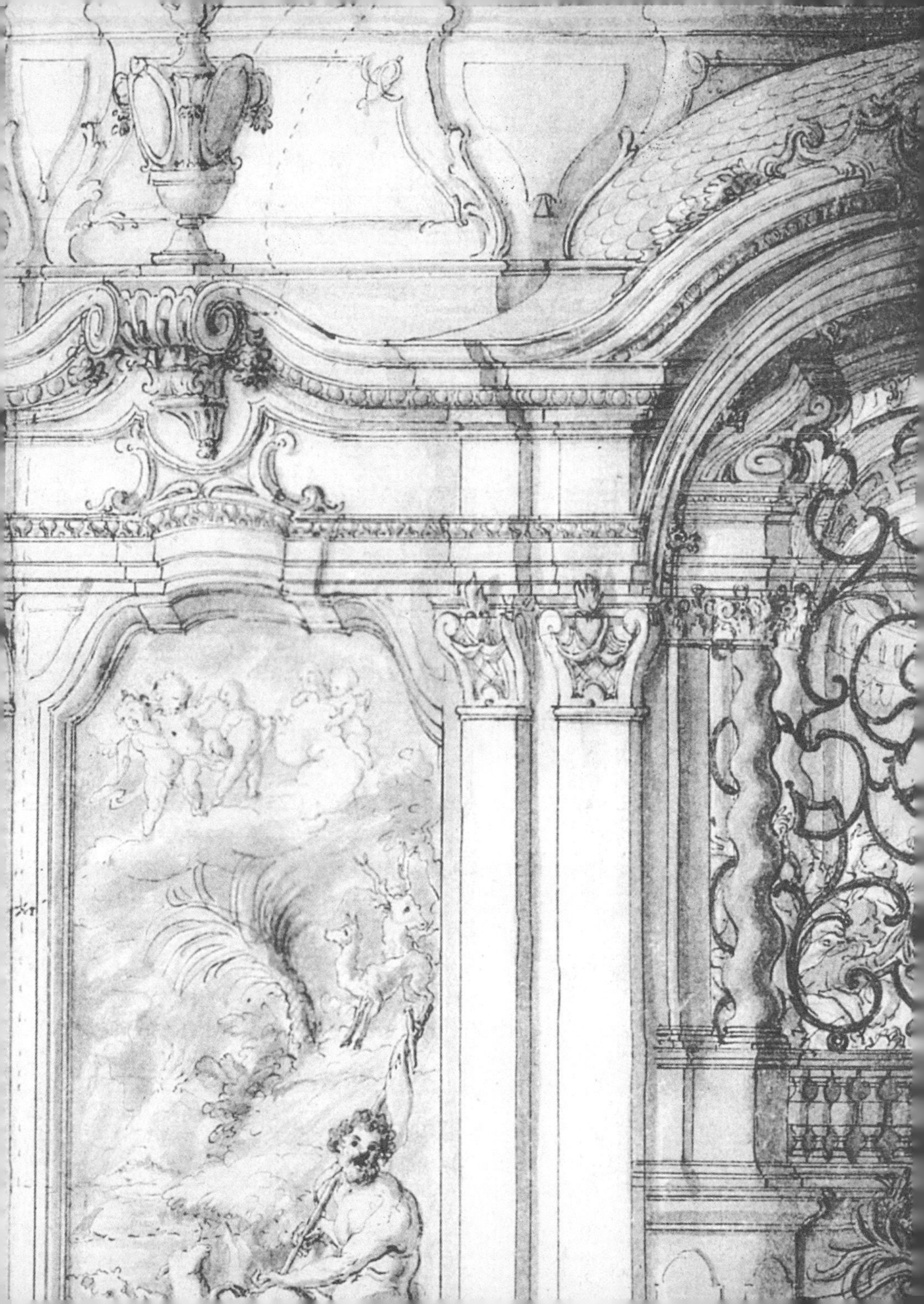